देश एक,
एक हैं हम सब

देश एक,
एक हैं हम सब

सांप्रदायिक सद्भाव और राष्ट्रीय एकता पर आधारित कविताएँ

संपादक एवं संयोजक

डॉ. एम. डी. थॉमस

GenNext Publication

देश एक, एक हैं हम सब

इन्स्टिट्यूट ऑफ हार्मनि एण्ड पीस स्टडीज़, नयी दिल्ली
के तत्वावधान में प्रकाशित

ISBN: 978-93-5324-135-3

भारत सन् 2019 में प्रकाशित
जेन्नेकस्ट पब्लिकेशन
5, अंसारी रोड, दरियागंज,
नई दिल्ली-110002
Phone : 9811692060
ई-मेलः gennextpublication@hotmail.com

मुद्रितः जी. प्रिंट प्रोसेस, दिल्ली

समर्पण

गीतांजलि

के लिए

नोबेल पुरस्कार से सम्मानित

और

काव्य, साहित्य, संगीत, कला, दर्शन, अध्यात्म,
इन्सानियत और ईश्वरता
के साथ-साथ
सांप्रदायिक सद्भाव और राष्ट्रीय एकता
की
समग्र, सम्यक् और अटूट प्रेरणा का स्रोत

रवीन्द्रनाथ टैगोर

अनुक्रमणिका

देश एक, एक हैं हम सब

देश एक, एक हैं हम सब

देश एक, एक हैं हम सब

इंस्टिट्यूट ऑफ हार्मनि एण्ड पीस स्टडीज़, नयी दिल्ली

डॉ. एम. डी. थॉमस

संस्थापक निदेशक
इंस्टिट्यूट ऑफ हार्मनि एण्ड पीस स्टडीज़, नयी दिल्ली
मंजिल 1, ए-128, सेक्टर 19, द्वारका, नई दिल्ली-110075
दूरभाष: 09810535378 (p), 08847925378 (p), 9811506213 (o)
ईमेल: mdthomas53@gmail.com (p), ihps2014@gmail.com (o)
बेबसाइट: www.mdthomas.in (p), www.ihpsindia.org (o)
Twitter: https://twitter.com/mdthomas53
Facebook: https://www.facebook.com/mdthomas53
Academia.edu: https://independent.academia.edu/MDTHOMAS

संपादकीय

'देश एक है'। यह एक ऐसी उक्ति है जो राष्ट्र के तौर पर भारत की एकता और अखण्डता को ज़ाहिर करती है। 'एक हैं हम सब'। यह भारतवासियों की ऐसी बुलंद भावना है जो सांप्रदायिक दीवारों को लाँघकर आपसी सद्भाव और समभाव के साथ-साथ राष्ट्रीय समरसता कायम रखने से हासिल होती है। इन दोनों आदर्शों का सम्मिलित रूप इस किताब का शीर्षक बना हुआ है। इस मंत्र-रूपी शीर्षक का भीतरी भाव 'राष्ट्रीय एकता और सांप्रदायिक सद्भाव' से जुड़ी विविध उद्भावनाएँ हैं। 'देश एक, एक हैं हम सब' यह किताब ऐसे उदात्त विचारों को चरितार्थ करने के प्रति कटिबद्ध देश भर के सैकड़ों प्रतिष्ठित कवियों के मार्मिक उद्गारों का एक अनोखा समागम है।

देश एक, एक हैं हम सब

विविधता, विधाता की सबसे अहम् योजना है। यह पूरे कायनात की पहचान के रूप में बनी हुई है। खास तौर पर इन्सानी समाज में विविधता की बारीकियाँ विस्तार से पायी जाती हैं। विविधता के साथ लेन-देन किये बगैर जीना इन्सान के लिए नामुमकिन ही नहीं, बेकार भी है। भारत देश जाति, प्रजाति, भाषा, विचारधारा, मज़हब, संस्कृति, खान-पान, वेश-भूषा, रीति-रिवाज़, आदि को लेकर बहुत विविधताओं से भरा-पूरा है। इस देश को एक राष्ट्र के रूप में बनाये रखने के लिए अलग-अलग समुदायों के दरम्यान 'सद्‌भाव, समभाव, एकता और समरसता' का मंत्र ही एक अकेला कारगर उपाय है।

करीब एक सदी पहले तक भारत एक 'देश' नहीं रहा। यह भूभाग एक-दूसरे से लड़ने-झगड़ने वाले कुछ छोटे-मोटे राजाओं के प्रदेशों का समूह था। अंग्रेजों ने अपनी सूझ-बूझ से भारत की टूटी-बिखरी ताकतों को हराकर और उन्हें एक शासन-तंत्र के भीतर लाकर भारत को एक ताकत बनायी। हालांकि उन्होंने यह काम भले ही अपने लिए किया हो, उनके जाने के बाद इसका फायदा भारत के हिस्से में आया। इसलिए ज़ाहिर तौर पर अंग्रेज़ों की बदौलत भारत अब एक राष्ट्र के रूप में बना हुआ है। लेकिन, अंग्रेज़ों से आज़ाद होकर कई दशकों का सफर तय करने के बाद भी भारत की आबादी की तहों में 'एकता और समरसता' की बड़ी किल्लत है। अलग-अलग समुदायों के बीच गलतफहमियाँ हैं, दरारें हैं, तनाव है, हिंसा है और फासला भी। एक दूसरे के बीच बातचीत के साथ-साथ व्यवहार चलते रहें, इसके लिए आपसी समझ पैदा करना बेहद ज़रूरी है। इसके लिए हर नागरिक को भारत के संविधान के उसूलों पर अमल करना दरकार है।

भारत के संविधान के मार्मिक प्रावधानों में खास हैं लोकतंत्र, पंथ-निरपेक्षता, समता और भाईचारा। ये आदर्श भारत की 'राष्ट्रीयता' के लिए रीढ़ की हड्डी के समान हैं। इनके बगैर भारत एक राष्ट्र के रूप

में खड़ा नहीं हो सकता। हर नागरिक की अपनी आवाज़ हो, हक और फर्ज़ के बीच तालमेल हो, छोटे-बड़े सभी समुदाय कानून के सामने बराबर हों, विविध समूहों में दोस्ताना लेन-देन हो, बेहतर देश को तामीर करने में साझेदारी की भावना हो, ये बातें विकास की राह को तय करने के लिए भारत का पाथेय हैं। उज्ज्वल भविष्य हासिल करने के लिए भारत के गरीब, कमज़ोर, जनजाति, दलित, आदि हाशिये पर सरकाये हुओं को तरज़ीही तौर पर थामना भी होगा। रोटी, कपड़ा, मकान, पढ़ाई-लिखाई, दवाई, आमदनी, इज़्ज़त, आदि बुनियादी चीजें हर इन्सान के हिस्से में रहें, तभी हमारा राष्ट्र अपनी असली गरिमा से युक्त होगा।

आज़ादी के सत्तर साल बाद भी भारत में असली स्वराज और सुशासन का तंत्र बनना बाकी है। भारत अभी भी 'कौन बड़ा-कौन छोटा' के पसोपेश से नहीं उबरा है। मर्द और औरत के रूप में खुदा ने इन्सान की रचना की। लेकिन, धार्मिक देश होने का ढिंढ़ोरा पीटने के बावजूद भारत के ज्यादातर इन्सान जीवन के इस सबसे बुनियादी तत्व में बराबरी बनाये रखने में अभी भी बहुत पिछड़ रहे हैं। भूभाग, जाति, बिरादरी, वर्ग, पेशा, विचारधारा, संस्कृति, वेश-भूषा, खान-पान, रीति-रिवाज़, राष्ट्रीयता, आदि को लेकर भारत का समाज बुरी तरह से बँटा हुआ है। ऊँच-नीच, छोटा-बड़ा, अपना-पराया, आदि बचकानी बातों को लेकर इन्सान-इन्सान में फ़र्क करने की आदत अभी भी छूटी नहीं है। 'सब को लेकर चलने की तहज़ीब' अभी भी भारत की नज़ीब में नहीं आयी है। एक परिपक्व राष्ट्र के रूप में भारत अभी भी बालिग नहीं बना है। विविध समुदायों के आपस में अच्छा रिश्ता, साझेदारी और सहयोग मज़बूत करना होगा। तभी भारत में एक 'साझी संस्कृति' हकीकत बनकर उभरेगी।

'देश एक, एक हैं हम सब' इस काव्य-संकलन में सम्मिलित कवियों की उद्‌भावनाएँ क्रांतिकारी हैं। उनके नज़रिये में 'राष्ट्रीय एकता'

और 'सांप्रदायिक सद्भाव' एक सिक्के के दो पहलू के समान एक दूजे के पूरक हैं। एक के बिना दूसरा नहीं हो सकता। मज़हबों में मौजूद अंध विश्वासों से उबरने के लिए कुछ नास्तिक होना भी ज़रूरी है। कट्टरता से छुटकारा पाना मज़हबी समुदायों से जुड़ने के लिए अनिवार्य है। खुली सोच से ही एकता की दिशा खुलती है। सांप्रदायिकता से ऊपर उठने के लिए सद्भाव का होना दरकार है। निष्कर्ष यह है कि राष्ट्र के रूप में एकता रहे, उसके लिए विविध समुदायों में समरसता ही कारगर ज़रिया है। इसी बात को केन्द्र में रखकर सैकड़ों प्रतिष्ठित और तजुर्बेकार कवियों ने अपनी-अपनी ज़िंदगी के विशाल खज़ानों से उपर्युक्त उदात्त विचारों को छंद और मात्राओं का आभूषण पहनाकर इस किताब के शीर्षक को पूरी तरह से चरितार्थ किया है।

धर्म या मज़हब का मतलब जुड़ना-जोड़ना है। यदि वही टूटने का सबब बने तो हकीकत में बेहद तकलीफदायक है। *'मज़हब इन्सान के लिए' है, इन्सान मज़हब के लिए नहीं।* लेकिन, ज्यादातर लोग मज़हब के लिए जीते हैं। काफी लोग मज़हब के लिए मर-मिटने के लिए भी मुस्तैद हैं। यह वास्तव में खेद की बात ही नहीं, मज़हब की आड़ में घोर घपलेबाजी भी है। ऐसे अफज़ोसजनक हालात मज़हबों के महापुरुषों के साथ-साथ खुदा को भी मंजूर नहीं होगा। आस्था के नाम पर इन्सान-इन्सान को बाटँना खुदा और इन्सानियत के खिलाफ गुनाह है। इस ग्रंथ के कवियों ने अपनी पंक्तियों के ज़रिये पटरी से उतरी हुई ऐसी हालत की कड़ी निंदा की है। साथ ही, उन्होंने अंध-विश्वास और खोखले अनुष्ठानों से ऊपर उठकर आस्थाओं, विचारधाराओं और संस्कृतियों के दरम्यान एकता और सरोकार की पुरज़ोर वकालत की है।

हर इन्सान एक खुदा की औलाद है। एक ही खुदा सभी में अंतर्यामी भी है। फिर, मंदिर और मस्ज़िद की लड़ाई कैसे? धर्म की आड़ में भेदभाव क्यों? एक आत्मा सब के भीतर मौजूद है। फिर

इन्सान-इन्सान में दूरियाँ कैसे? इन्सान की एक जात है। ऐसे में, ऊँच-नीच और अपने-पराये की सोच कैसे? आपस में दुर्भाव और नफ़रत भी कैसे? सद्‌भाव ही इन्सानियत की आत्मा है। धर्म के पहले वतन हो, तब ही धर्म हो और अमन का पैगाम फैलाने के लिए कदम में कदम हो, तभी देश बनता है। एक दूजे की छाँव में एकता व सौहार्द के साथ-साथ एक दूजे के लिए जीये, यही जीने की कला है। भारत एक है और वह बहुसंख्यक-अल्पसंख्यक का फ़र्क किये बगैर सब नागरिकों का बराबर अपना है। औरों से नफ़रत को तमाम करके सभी समुदायों से हमदर्दी की भावना रखना और मिल-जुलकर रहना सच्ची राष्ट्रीयता और नागरिकता की पहचान है। तभी देश एक रहेगा और देश में एकता रहेगी। कवियों ने अपनी-अपनी कविताओं के ज़रिये सांप्रदायिक सद्‌भाव और राष्ट्रीय एकता को मज़बूत करने वाले ऐसे उदगारों का इज़हार किया है, जो कि सहेजकर रखने लायक हैं। इस किताब की वजूद का श्रेय इन कवियों के खाते में डालना ही मेरा उनके प्रति आभार है।

बड़े गौरव की बात है कि हिन्दी के लब्ध-प्रतिष्ठित कवि और यथार्थवादी तथा मौलिक चिंतक **डॉ. जय प्रकाश कर्दम जी** ने इस किताब के लिए **'पुरोवाक्'** लिखा है। दशकों के लिए केंद्रीय हिन्दी प्रशिक्षण संस्थान, राजभाषा विभाग, गृह मंत्रालय, भारत सरकार, नई दिल्ली, के निदेशक के रूप में ठोस और प्रशंसनीय सेवा देकर आप हाल ही में अवकाश-प्राप्त हुए हैं। दलित साहित्य को परंपरागत हिन्दी साहित्य के समांतर स्थापित कर और उसके बुनियादी सरोकारों को उजागर कर आप दलित साहित्य के एक सशक्त हस्ताक्षर के रूप में उभरे हैं तथा अपने व्यक्तित्व और सृजनकर्म के बूते अपने समकालीनों में काफी चर्चित हैं। आप कवि, साहित्यकार और चिंतक के तौर पर एक बहु-आयामी प्रतिभा हैं। कविता, कहानी और उपन्यास की पुस्तकों

के अलावा दलित साहित्य पर निबंध और 'दलित साहित्य वार्षिकी' का संपादन आपके मुख्य साहित्यिक योगदान हैं। खास तौर पर, आप सांप्रदायिक सदभाव और राष्ट्रीय एकता की दिशा में प्रतिबद्ध हैं। 'छप्पर (उपन्यास), गूंगा नहीं था मैं (कविता संग्रह), कामरेड का घर, लाठी, पगड़ी, मजदूर खाता (कहानियाँ), द चमार्स (अनुवाद), दलित साहित्य वार्षिकी (संपादन)' डॉ. कर्दम की चर्चित रचनाएँ हैं। साथ ही, आपकी रचनाएँ पत्र-पत्रिकाओं में छपती रही ही नहीं, अनेक विद्यालय-महाविद्यालयों में पढ़ाई भी जाती रही हैं। एक ठोस और विचारोत्तेजक 'पुरोवाक्' के ज़रिये आपने इस किताब को प्रभूत मात्राओं में गौरवान्वित किया ही नहीं, पाठकों को बहुत धन्य भी किया है। मैं आपका हृदय से आभारी हूँ।

दिल्ली सरकार के उप-मुख्य मंत्री **श्री मनीष सिसोदिया जी** ने इस किताब के लिए एक मूल्यवान् **संदेश** देकर इस किताब के संपादक और संयोजक को ही नहीं, कवियों और पाठकों को भी उपकृत किया है। राजनीति में आने से पूर्व आप आकाशवाणी और ज़ी न्यूज़ में पत्रकारिता और सामाजिक कार्य में सक्रिय रहे। आप श्री केजरीवाल के साथ मिलकर 'पब्लिक कॉस रिसेर्च फाउण्डेशन' के सह-संस्थापक भी रहे। 2011 में 'जन लोकपाल बिल' के आंदोलन और 2012 में 'आम आदमी पार्टी' की स्थापना में भी सम्मिलित रहकर आप उसके 'राजनीतिक अफेयर्स समिति' के सदस्य के रूप में सेवा देते रहे। विशाल दृष्टि, सज्जनता और कुशलता आपकी खूबियाँ हैं। आप के मूल्यवान् 'संदेश' किताब की गरिमा के साथ-साथ सांप्रदायिक सद्भाव तथा सरोकार और राष्ट्रीय समरसता तथा एकता का भाव बढ़ाने में बहुत सहायक सिद्ध होंगे, यह निश्चित है। आपकी राजनीतिक और सामाजिक नेतृत्व के लिए मंगल कामनाओं के साथ मैं आपके प्रति कृतज्ञता ज्ञापित करता हूँ।

इस किताब को मुद्रित और प्रकाशित करने का कार्य **जेन्नेकस्ट पब्लिकेशन और ज्ञान बुक्स** ने संयुक्त रूप से अपने हाथ में लेकर

सांप्रदायिक सद्भाव और राष्ट्रीय एकता को बढ़ाने की दिशा में अपनी दिलचस्पी का इज़हार किया है। साथ ही, प्रकाशन में दशकों का तजुर्बा और विविध विषयों पर रुचि की पृष्ठभूमि में कुशल ढंग से और कम समय में किताब को तैयार कर लोगों तक पहुँचाने के प्रति संकल्प भी ज़ाहिर हुआ है। मैं जेन्नेकस्ट पब्लिकेशन और ज्ञान बुक्स के कार्यवाहक निदेशक श्री बी. पी. गर्ग और साथियों का धन्यवाद करता हूँ।

'देश एक, एक हैं हम सब' इस भाव के विविध आयामों पर इतने प्रतिष्ठित कवियों की मर्मस्पर्शी और प्रेरणादायक उद्भावनाओं और उद्गारों को एक ग्रंथ के भीतर संकलित कर आप लोगों के सामने पेश करना, मैं समझता हूँ, एक पुण्य का काम है। यह इसलिए है कि 'सांप्रदायिक सद्भाव और राष्ट्रीय एकता' मेरे जीवन की एक अहम् साधना है। इन महान कवियों की प्रेरणा से मज़हबी और अन्य समुदायों के आपस में सद्भाव, सरोकार और सहकारिता की भावना बढ़े और भारत के 'हम लोग' राष्ट्रीयता की समरसता और एकता की भावना से युक्त हों तथा जीवन में 'मिल-जुलकर रहने की तहज़ीब' की ओर निरंतर उभरते रहें, इन मंगल कामनाओं के साथ...

01 जून 2018

डॉ. एम. डी. थॉमस
संपादक और संयोजक

डॉ. जयप्रकाश कर्दम

पूर्व निदेशक, केन्द्रीय हिन्दी प्रशिक्षण संस्थान
राजभाषा विभाग, गृहमंत्रालय, भारत सरकार
नई दिल्ली

पुरोवाक्

किसी भी देश के निवासियों के लिए देश सर्वोपरि होता है। देश उनकी सीमा नहीं होता, विदेश तक उनकी चेतना का विस्तार हो सकता है, किन्तु उनका हृदय अपने देश में ही बसता है। देश केवल निवास से नहीं बनता, वह बनता है प्रेम और संवेदना से। संवेदना ही वह तत्त्व है जो व्यक्ति के मन में देश के प्रति प्रेम और अनुराग पैदा करता है। देश के प्रति अपने प्रेम और अनुराग को प्रत्येक व्यक्ति अलग-अलग तरह से अभिव्यक्त करता है। सैनिक की अभिव्यक्ति साधारण नागरिक से भिन्न होती है। कवि की अभिव्यक्ति में दोनों का समावेश होता है। उसमें एक अलग तरह के संवेग का ताप होता है।

डॉ. एम. डी. थॉमस द्वारा संपादित एवं संयोजित यह काव्य पुस्तक 'देश एक, एक हैं हम सब' 100 कवियों की 126 कविताओं का महत्वपूर्ण संग्रह है, जिसमें मनुष्यता के उस स्वर की प्रधानता है, जो देश का निर्माण करती है। राष्ट्रीय एकता तथा सांप्रदायिक सद्भाव पर

आधारित ये कविताएँ यह संदेश देती हैं कि 'सद्भाव से बढ़कर कोई धर्म नहीं' होता है। साथ ही, ये कविताएँ यह आह्वान भी करती हैं कि व्यक्ति के आचरण में आदमीयत या इंसानियत का होना ज़रूरी है। व्यक्ति की इंसानियत ही विस्तार पाकर समाज और देश को मानवीय बनाती है।

साहित्य का असली उद्देश्य लोक मंगल है। साहित्यिक लोक की व्याप्ति समस्त मानव समाज तक है। मनुष्य-मनुष्य के बीच समानता, प्रेम और बंधुत्व समाज के आधार है। इसलिए मनुष्य के सुख, दुःख, उसकी संवेदना और सरोकारों की अभिव्यक्ति ही साहित्य का केंद्रीय तत्व है। दूसरे शब्दों में कहा जाए तो साहित्य मनुष्यता की खोज और उसकी व्याख्या है। **यूं इस पुस्तक की कविताएँ देश की एकता और अखण्डता की भावना और विचार की संवाहक हैं। किन्तु यथार्थ में इन कविताओं का स्वर मानवतावादी है क्योंकि मानव से प्रेम किए बिना कोई देश से सच्चा प्रेम नहीं कर सकता।**

ये कविताएँ बताती हैं कि दुनिया में मनुष्य सर्वोपरि है। धर्म भी मनुष्य द्वारा मनुष्य के लिए निर्मित एवं विकसित संस्था है, जो प्रेम, सद्भाव और सहिष्णुता पर आधारित है। घृणा, हिंसा, अलगाव और पाखण्ड के लिए इसमें कोई जगह नहीं है। पूजा-प्रसाद नहीं, अपितु कर्म ही हमारा धर्म है। धर्म के नाम पर होने वाली हिंसा और अलगाव का प्रतिकार करते हुए ये कविताएँ आह्वान करती हैं कि मंदिर और मस्ज़िद के बीच कोई कोहराम नहीं हो, सब मनुष्य परस्पर मिल-जुलकर रहें। हिंसा, अलगाव और नफ़रत के इस दौर में प्रत्येक व्यक्ति के लिए बहुत ज़रूरी है कि वह 'इंसान बने' और इंसान बनकर रहे। कुछ भी होने से पहले सब मनुष्य आदमी और केवल आदमी बनें, तभी परस्पर प्रेम-मंत्र का संचार हो सकता है। ये कविताएँ मनुष्यता के इसी संदेश की संवाहक हैं।

इस संग्रह की कविताओं के बारे में यह भी कहा जा सकता है कि इनमें वर्तमान समय में धार्मिक कट्टरता, असहिष्णुता और सांप्रदायिकता से लेकर वर्ण-व्यवस्था, जातिगत ऊँचनीच, भेदभाव और अस्पृष्यता के कारण मनुष्यता की गरिमा और अस्तित्व के समक्ष उत्पन्न खतरे और चुनौतियों के प्रति चिंता स्पष्ट देखी जा सकती है। यह इस बात का द्योतक है कि समाज के अंदर जाति, धर्म और संप्रदाय के नाम पर भेदभाव, नफ़रत और हिंसा व्याप्त है और यह सब भारतीय समाज का चरित्र बन गया है। अपने इस चरित्र के कारण ही भारतीय समाज हजारों साल से विघटित है और एक नहीं हो पा रहा है। जाति, धर्म और संप्रदाय मनुष्यता पर हावी हैं और वे निरंतर उसकी हत्या कर रहे हैं। इन कविताओं में धर्म के सद्भाव को बचाकर अपने वतन को प्यार का गुलशन बनाने की कामना है तो दूसरी ओर नफ़रत की दीवारों को मिटाने और मंदिर-मस्ज़िद के झगड़ों में समय नहीं गँवाने का आग्रह भी है।

संक्षेप में यही कहा जाए, **देश प्रेम के विविध रंगों में रंगी कविताओं का यह संग्रह धर्मांधता के जंगल में, सांप्रदायिकता और जातिवाद के हिंसक जानवरों से मनुष्यता को बचाने का एक सार्थक प्रयास है।** डॉ. एम. डी. थॉमस की प्रशंसा की जानी चाहिए कि उन्होंने इस पुस्तक के माध्यम से, ऐसे समय में देश की अखण्डता के साथ-साथ मानवीय एकता की आवश्यकता के प्रति सजग होने के लिए समाज को प्रेरित किया है, जब धर्म, जाति और संप्रदाय की संकीर्णता में डूबे समाज में सर्वत्र नफ़रत, हिंसा, उन्माद और अलगाव की आग फैली है। अब जातिवाद और मज़हबिया ताण्डव को रोक कर हरेक चौराहे पर 'प्यार के दीपक' जलाने की जरूरत है।

डॉ. जयप्रकाश कर्दम

MANISH SISODIA
मनीष सिसोदिया

सत्यमेव जयते

DEPUTY CHIEF MINISTER
GOVT. OF NCT OF DELHI
उप मुख्यमंत्री, दिल्ली सरकार
DELHI SECTT, I.P. ESTATE.
दिल्ली सचिवालय, आई०पी०एस्टेट,
NEW DELHI-110002
नई दिल्ली–110002
Email. msisodia.delhi@gov.in

D.O. No.: Dy.CMR/2018/2710
Date : 18/08/2018

संदेश

मुझे यह जानकर अत्यंत प्रसन्नता है कि इंस्टिट्यूट ऑफ हार्मनि एण्ड पीस स्टडीज़, नयी दिल्ली, के तत्वावधान में 'देश एक, एक हैं हम सब' नामक एक काव्य-संग्रह प्रकाशित हो रहा है, जिसकी सभी रचनाएँ 'राष्ट्रीय एकता और सांप्रदायिक सद्भाव' विषय पर आधारित हैं।

संपादक और संयोजक डॉ. एम. डी. थॉमस ने ऐसे प्रासंगिक विषय को लेकर भारत की राष्ट्र-भाषा हिंदी में इस अनोखे काव्य-संग्रह की अवधारणा की है और उसे बखूबी चरितार्थ भी किया है।

मैं देश की अखंडता और एकता को मज़बूत करने की दिशा में किये गये इस महत्वपूर्ण कार्य के लिए संपादक और संयोजक को साधुवाद देता हूँ तथा इस काव्य-संग्रह में जिन-जिन कवियों की रचनाएँ संगृहीत हैं, उन सभी कवियों को भी बहुत-बहुत बधाई देता हूँ।

मुझे उम्मीद है यह पुस्तक भारत के विविध समुदायों के बीच सांप्रदायिक सद्भाव, राष्ट्रीय समरसता और सामाजिक समन्वय की भावना को कायम करने और देश की अखण्डता और एकता को मज़बूत करने में सहायक एवं कारगर सिद्ध होगी।

Manish

मनीष सिसोदिया

1

आप मुझे निज दर्शन देंगे

– रवीन्द्रनाथ टैगोर
(गीतांजलि)

नहीं भटकना है मुझ को अब
इस दुनिया में और अकेला
मोहित मुझे न कर पाएंगे
मेरे मन के मोहक मेले।।

मैंने तुम्हें बांधना चाहा
अपने बाहुवलय में जब-जब
तुम न बंधे निर्बंध रहे तुम
स्वयं बंध गया हूँ मैं तब-तब
पाऊंगा जिस दिन मैं तुम को
जड़जंगम में, सचर-अचर में
उस दिन नहीं तुम मुझे मिलोगे
हृदयसिंधु की लहर-लहर में।।

हृदयसिंधु में एक नहीं, तब
अगणित कोमल-कमल खिलेंगे
कमल-कमल पर विद्यमान हो
आप मुझे निज दर्शन देंगे।।

2

पर एक ही पंछी सबमें बंद

– बालकवि बैरागी*

नदियाँ सब सागर में जाती
नावें सबको पार लगाती
हर मज़हब का यही धर्म है
नदी बने या नाव बने
सबका सरल स्वभाव बने ॥

इक मंजिल के सभी मुसाफ़िर
चाल सभी की न्यारी
अलग-अलग हैं सबकी राहें
अलग-अलग तैयारी

---

* **बालकवि बैरागी –** आप जाने-माने कवि हैं --- आप 1984-1989 तक लोकसभा में और 1998-2004 तक राज्यसभा में सांसद रह चुके हैं। मात्र 9 वर्ष की उम्र से कविता लेखन --- विक्रम विश्व विद्यालय, उज्जैन, से हिंदी में एम. ए. --- कई कवि सम्मेलनों में काव्य- प्रस्तुति --- 'गौरव-गीत', 'ददर दीवानी', 'दो टूक', 'भावी रक्षक देश के', आदि इनके मुख्य काव्य-संग्रह --- 25-26 फिल्मों के लिए गीत-लेखन --- खास तौर पर बच्चों के लिए कविता-लेखन --- भारतीय राजनीति में भी रुचि --- मध्य प्रदेश में विधायक और राज्य मंत्री तथा मध्य प्रदेश से लोक सभा और राज्य सभा सदस्य --- विशेषकर, बाल-काव्य के लिए कई प्रतिष्ठित पुरस्कारों से सम्मानित।

देश एक, एक हैं हम सब

यह अलगाव मिटाना मुश्किल
एक राह पर लाना मुश्किल
तब फिर ऐसी राह निकालो
सबका एक लगाव बने---सबका सरल स्वभाव बने
नदियाँ सब सागर में जाती ।।

सबके अपने-अपने सिक्के
लेकिन सबका एक बाज़ार
एक सेठ की मंडी में ही
चलता सब का कारोबार

सब की अपनी-अपनी पूँजी
कोई मौला कोई मूँजी
तब फिर सिक्का वही चलाओ
जिससे सब उमराव बने---सबका सरल स्वभाव बने
नदियाँ सब सागर में जाती।।

पिंजरे सब के अलग-अलग पर
एक ही पंछी सबमें बंद
राग सभी के न्यारे-न्यारे
अलग-अलग हैं सबके छंद

तब फिर सारे पिंजरे खोलो
अलग-अलग बोली मत बोलो
चलो आज कुछ ऐसा बोलें
सब का एक प्रभाव बने---सबका सरल स्वभाव बने
नदियाँ सब सागर में जाती।।

3

तो ये दूरियाँ हैं क्यों?

– मुनव्वर अली 'ताज'*

सबका खुदा है एक तो ये दूरियाँ हैं क्यों?
लोगो तुम्हारे सामने मजबूरियाँ हैं क्यों?

आने की राह एक है, जाने की राह एक
तो फ़िर ये ज़ात-पात की तारीकियाँ हैं क्यों?

दावा जो कर रहे हो ये जीवन तुम्हारा है।
तो फिर तुम्हारे कंधों पे ये अर्थियां क्यों?

ईश्वर-खुदा लड़े हैं क्या इंसा के वास्ते
ईश्वर-खुदा के वास्ते खूंरज़ियाँ हैं क्यों?

जब चाहते सभी हैं कि अम्नो-अमां रहे
तो मेरे देशवासियों बरबादियाँ हैं क्यों?

---

* **मुनव्वर अली 'ताज'** – हिन्दी और उर्दू में एम.ए. --- राष्ट्रीय-अंतरराष्ट्रीय पत्र-पत्रिकाओं में रचनाओं का प्रकाशन --- दूरदर्शन व आकाशवाणी से कविताओं का प्रसारण --- 2004 में 'मुनीर खाँ मेमोरियल अवार्ड', छबड़ा (राज.), 2006 में हिन्दी साहित्य सम्मेलन, प्रयाग, इलाहाबाद (उ.प्र.) की ओर से 'साहित्य सारस्वत सम्मान' से सम्मानित।

इंसानियत नहीं है तो इक पल ये सोचिये
अब भी दया की दर्द से नज़दीकियाँ हैं क्यों?

आजाद हो के भी यदि इंसां रहे गुलाम
तो 'ताज' इस जहान में आज़ादियाँ हैं क्यों?

4

सद्भाव से बढ़कर कोई धर्म नहीं

– पंडित हरिराम द्विवेदी*

यह धरती माता सबकी है, उसने ही सबको जाया है
हर प्राणी को धरती माता ने, सदा-सदा दुलराया है
वह ही पालन करने वाली है, वह ही जीवन देती है
सोचो तो ज़रा कि यह धरती माता, किससे क्या लेती है?

उसका स्नेह अनमोल, न उसकी और किसी से समता है
सुख-शांति बरसती जिससे, वह उसकी आंचल की ममता है
हर प्राणी का कर्त्तव्य यही, उस माता का सत्कार करे
सबको अपना समझे, सबसे अपने जैसा व्यवहार करे।।

अपनेपन के इस सुख में, जीवन का अनुपम अनुराग भरा
विश्वास, प्रेम की परिभाषा का, सुमधुर पावन राग भरा

---

* **पंडित हरिराम द्विवेदी** – एम. ए., बी. एड. --- साहित्यिक, सांस्कृतिक एवं कलात्मक अभिरुचि से विभूषित --- लगभग तीन दशक तक आकाशवाणी की प्रसारण-सेवा से सम्बद्ध रहकर सेवा-निवृत्त --- हिन्दी एवं भोजपुरी के स्थापित कवियों में प्रतिष्ठित --- साहित्य अकादमी पुरस्कार सहित देश के अनेक प्रतिष्ठित सम्मान और पुरस्कार से सम्मानित --- हिन्दी एवं भोजपुरी में 15 से अधिक रचनाएँ प्रकाशित --- अपनी लोक-संस्कृति के प्रति निष्ठावान --- राष्ट्रीय एकता एवं साम्प्रदायिक सद्भाव के प्रति विशेष समर्पित।

यह जाति-धर्म-मज़हब से ऊपर, सबको जो सिखलाता है
जिसने जाना उसको तो उसके सिवा न कुछ भी भाता है।।

औरों के दुःख को जिसने भी अपने दुःख जैसा ही जाना
उसने ही मानवता की पावनतम महिमा को पहचाना है
विश्वास करो सब अपने हैं, सबकी खातिर विश्वास बनो
धरती पर हो, धरती वालों की खातिर, मत आकाश बनो।।

जग में स्नेह सद्भाव भाव से बढ़कर कोई धर्म नहीं
परहित से बढ़कर सच पूछें तो और कोई सत्कर्म नहीं
हर धर्म सभी को सदाचार की भाषा सिखलाता है
इस जग में सबसे प्यारा मानवता का ही नाता है।।

5

एक जात इन्सान की

– **खुर्शीद अजेय***

मधु ऋतु वाली मैं सतरंगी, धरती हिन्दुस्तान की ।
यहाँ सभी का लाल रक्त है, एक जात इन्सान की ।।

संत-फकीरों-अवतारों ने यह आवाज़ लगाई ---
यह हिन्दू वह मुसलमान है यह सिख वह ईसाई,
अलग-अलग राहों से सबने एक ही मंजिल पाई,
संकट में हर क़ौम लगाती, बाज़ी अपनी जान की ।

मस्ज़िद-मंदिर-गुरुद्वारे के, गिरजाघर के द्वारे,
अल्लाह कोई, कोई ईश्वर, कोई पिता पुकारे,
इस विधि अपनी जीवन-नैया भव-सागर से तारे,
अपने हर मांझी पर होती, कृपा दयानिधान की ।

---

* **खुर्शीद अजेय** – हिन्दी और उर्दू के जाने माने कवि --- आकाशवाणी और दूरदर्शन के जाने-माने कलाकार --- कविताओं से सम्बन्धित विभिन्न कार्यों के लेखक --- संत पॉल कम्यूनिकेशन्स, मुंबई, द्वारा लोकार्पित और डॉ. एम. डी. थॉमस द्वारा स्वर-रचित ओडियो-सीडी 'समन्वय धारा' में चार गीतों का लेखन --- साहित्यिक और सामाजिक संस्था 'हंसवाहिनी' के निदेशक के रूप में सराहनीय सेवा --- खासकर सद्‌भावना विषय पर लिखी अपनी कविताओं के लिए अधिक मशहूर।

धर्मों के आडम्बर का, न होगा सफल तमाशा,
हर पालनहार जाने है, दुनिया की हर भाषा,
उसके आगे रखो किसी भी, भाषा में अभिलाषा,
हर भाषा में बोली जाती, निशदिन जय भगवान की।

विश्व-शांति का मैं संदेशा, जग को देने वाली,
मधुवन है मेरे कण-कण में, मेरी छटा निराली,
मरुथल में भी छुपी हुई है, जीवन की हरियाली,
सुंदर-शीतल-सुरभित-मोहक, फूलों की मुस्कान की।

6

एक है एक हिन्दोस्तां

– बालस्वरूप राही*

देख ले, देख ले आज सारा जहां
एक है, एक है एक हिन्दोस्तां।

कोई हिन्दू है, चाहे मुसलमान है
देश ही धर्म है, देश ईमान है
देश ही है खुदा, देश भगवान है
देश ही है गज़ल, देश ही गान है
अब न मज़हब, न भाषा कोई दरमियाँ
मिट गए भेद सब, मिट गई दूरियाँ ।।

* **बालस्वरूप राही –** हिन्दी साहित्य में एम.ए. --- दिल्ली विश्वविद्यालय में अध्यापन --- 'सरिता', 'साप्ताहिक हिन्दुस्तान' और 'प्रोब इंडिया' के सम्पादन-कार्य --- भारतीय ज्ञानपीठ और हिन्दी भवन में प्रशासनिक कार्य --- 'मेरा रूप तुम्हारा दर्पण (गीत-संग्रह), जो नितांत मेरी हैं (गीत-संग्रह), राग-विराग (हिन्दी का प्रथम ऑपेरा), हमारे लोकप्रिय गीतकार: बालस्वरूप राही, बालगीत-संग्रह: दादी अम्मा मुझे बताओ, हम जब होंगे बड़े, बंद कटोरी मीठा जल, हम सबसे आगे निकलेंगे, गाल बने गुब्बारे, सूरज का रथ, व्हेन वी ग्रो अप (कतिपय बाल-कविताओं का अंग्रेजी अनुवाद)' के रचियता --- 'वार्षिक चयनिकायें, भारतीय कविताएँ और भारतीय कहानियाँ' का सम्पादन --- कवि-सम्मेलनों और गोष्ठियों में भागीदारी --- टी.वी. के निमित्त अनेकानेक वृत्तचित्रों, धारावाहिकों की पटकथा, आलेख तथा गीत --- संगीत-नाटक प्रभाग के अनेक ध्वनि-प्रकाश कार्यक्रमों के लिये आलेख तथा गीत --- आकाशवाणी के सर्वभाषा कवि-सम्मेलन में हिन्दी का प्रतिनिधित्व।

चाहे सिख है कोई, चाहे ईसाई है
सिर्फ़ इंसान है, दोस्त है, भाई है
साथ मिलकर चले तो सुबह हो गई
प्यार की रोशनी हर जगह हो गई
अब तो केवल यही एक अहसास है ।।

हम सभी पुत्र हैं और धरती है माँ।
हम किसी के डराए डरेंगे नहीं
दुश्मनों की तरह कुछ करेंगे नहीं
जब भी बढ़ गए हैं हमारे चरण
मांगते रह गए द्वेष सारे शरण
मंजिलें जिन के कदमों की ठोकर में हैं
यह उन्हीं सरफरोशों का है कारवां ।।

7

यह भारतवर्ष हमारा

– इम्तयाज अहमद अन्सारी*

हम सब भारतवासी हैं, यह भारतवर्ष हमारा
मातृ-भूमि की रक्षा करना है कर्तव्य हमारा।।

जाति-पाँत का भेद भुलाकर सबको गले लगाएँ
हिन्दू, मुस्लिम, सिक्ख, ईसाई आपस में मिल जाएँ
राग-द्वेष से मुक्त रहें हम सीखें भाई-चारा
हम सब भारतवासी हैं, यह भारतवर्ष हमारा।।

'मंदिर-मस्ज़िद' मुद्दे को लेकर, हम क्यों हैं पगलाये
धर्म के ठेकेदार हैं हमको आपस में उलझाये
बँट जायेगा देश तो हम पर हँसेगा जग ये सारा
हम सब भारतवासी हैं, यह भारतवर्ष हमारा।।

---

* **इम्तयाज अहमद अंसारी** – जी. जे. यूनिवर्सिटी हिसार से मास कम्यूनिकेशन में स्नातकोत्तर --- बरेली, एम. जे. पी. रूहेलखंड यूनिवर्सिटी से जर्नलिज्म और मास कम्यूनिकेशन में पी.जी. डिप्लोमा --- विभिन्न प्रिंट और विजुअल मीडिया से फ्रीलांसर के रूप में जुड़े हुए हैं --- सम्पादकीय क्षमता और अनुभव से परिपूर्ण --- अनेकों न्यूज स्टोरीज और लेख लिख चुके हैं।

नेताओं की बातों के चक्कर में नहीं है पड़ना
है धार्मिक-उन्माद में आकर नहीं किसी से लड़ना
रक्त-पात जब होगा तो कोई देगा नहीं सहारा
हम सब भारतवासी हैं, यह भारतवर्ष हमारा।।

इतना सस्ता खून नहीं जो नाहक इसे बहाएँ
धर्म नहीं कहता है भाई आपस में टकराएँ
'देश एक है, एक हैं हम सब' हो उद्देश्य हमारा
हम सब भारतवासी हैं, यह भारतवर्ष हमारा।।

राम-रहीम तो एक ही हैं, क्यों हम समझ न पाते
किसी भी पूजा-स्थल में श्रद्धा से शीश झुकाते
मन्दिर, मस्ज़िद, गुरुद्वारा, ईश्वर को सभी हैं प्यारा
हम सब भारतवासी हैं, यह भारतवर्ष हमारा।।

हिंसा से मन्दिर-मस्ज़िद का जो जीर्णोद्धार करेंगे
न तो धर्म का, न ही देश का हम उद्धार करेंगे
ऐसी जगहों पर ईश्वर को बसना नहीं गँवारा
हम सब भारतवासी हैं, यह भारतवर्ष हमारा।।

अब से भी हम चेत करें वरना पीछे पछतायेंगे
प्यारी भारतमाता के फिर से टुकड़े हो जायेंगे
एकता-अखण्डता की रक्षा का हो संकल्प हमारा
हम सब भारतवासी हैं, यह भारतवर्ष हमारा
मातृ-भूमि की रक्षा करना है कर्तव्य हमारा।।

8

नफ़रत को यूँ तमाम करें

– डेनिस अजमेरी*

लड़ाई, झगड़े ओ नफ़रत को यूँ तमाम करें।
सभी इक–दूसरे का दिल से एहतराम करें।।

अमन अमान रहे हर जगह हर इक बस्ती में।
खुलुस ओ मेल ओ मुहब्बत को ऐसा आम करें।।

हर इक मज़हब ने दिखाई है राह नेकी की।
तो आओ रोज़ कोई एक नेक काम करें।।

ये रंजिशें हमें बरबाद भी कर सकती हैं।
तफ़ुरक़े जिस से हों, ऐसा न कोई काम करें।।

बुराई मिट ना सकी बारहा जला रावण।
चलो अब अपने में पैदा मिजाज–ए–राम करें।।

---

* **डेनिस अजमेरी** – डेनिस अजमेरी के नाम से जाने जाते --- असली नाम फ्रांसिस विलिंग्टन फिलिप्स --- जयपुर यूनिवर्सिटी से उर्दू में स्नातकोत्तर --- कव्वाल --- उर्दू और हिन्दी के जाने-माने कवि --- मैथोडिस्ट चर्च में पास्टर।

9

पढ़ पाये नहीं, जीवन का आख्यान

– डॉ. रामनिवास 'मानव'*

जब-जब भी पर्दा उठा, दिखा अधूरा सत्य ।
अनदेखा ही रह गया, जीवन का नेपथ्य ।।

हरदम सच के नाम पे, थामे छल की मूठ ।
जीवन-भर हमने जिया, क़तरा-क़तरा झूठ ।।

मीत हुए न आप अभी, असत्य के अभ्यस्त ।
इसीलिए सन्तप्त हैं, इसीलिए सन्त्रस्त ।।

माया है यह वक्त की, या भाग्य का प्रपंच ।
पल में बदले भूमिका, पल में बदले मंच ।।

अभिनेता सारे यहाँ, विश्व है रंगमंच ।
भिन्न-भिन्न है भूमिका, क्या दोषी, क्या पंच ।।

---

* **डॉ. राम निवास मानव –** हिन्दी में एम. ए., पी-एच. डी. तथा डी. लिट् --- हरियाणवी साहित्य के प्रथम शोधार्थी तथा अधिकारी विद्वान् --- विभिन्न विधाओं की कुल 35 से अधिक कृतियाँ प्रकाशित --- देश-विदेश की अनेक प्रमुख भाषाओं में विविध रचनाओं का अनुवाद --- एम. फिल. तथा पी-एच. डी. के सत्तर से भी अधिक शोध छात्र-छात्राओं का कुशल निर्देशन --- देश-विदेश की शताधिक संस्थाओं द्वारा सम्मानित --- अनेक प्रतिष्ठित सम्मान, पुरस्कार तथा मानद उपाधियाँ प्राप्त।

देश एक, एक हैं हम सब

आज कहीं रोमांच है, और कहीं रोमांस ।
फिर भी जीवन में नहीं, सुख का कोई चांस।।

अज़ब यहाँ की प्रीत है, गज़ब यहाँ की रीत।
सचमुच जीना है कठिन, कुटिल जगत् में मीत ।।

कहीं पीर से प्रीत है, कहीं प्रीत से पीर ।
अज़ब–गज़ब है देखिये, दुनिया की तासीर ।।

आज कहीं तक़रीर है, और कहीं तक़रार ।
बीच कहीं बंधक बना, इन दोनों के प्यार ।।

कोई पढ़े पुराण है, कोई पढ़े कुरान ।
लेकिन पढ़ पाये नहीं, जीवन का आख्यान ।।

10

मानव-मानव के लिए दर्द हो

– **अमरेन्द्र कुमार मिश्र***

धर्म मनुष्यता का प्रतीक है
देता यह सबको आयाम ।
विकसित समाज के लिए धर्म
ही तान सके अगणित वितान ।।

धर्म रास्ता दिखलाता है
सबको मार्ग बताता है ।
पर अलग-अलग धर्मों से किचिंत
मार्ग विषम हो जाता है ।।

मार्ग विषम होने पर सबको
अलग-अलग चलना होता ।
मानवता के मूल मंत्र से
सबको है बचना होता ।।

---

* **श्री अमरेन्द्र कुमार मिश्र –** शिक्षा शास्त्र में एम. ए. तथा दर्शन शास्त्र में एम. ए. --- पर्यटन एवं हिन्दी साहित्य में विशेष अभिरुचि --- उपन्यास 'प्यासी नदी और डूबते पल' व 'शीतल ज्वाला' --- नाटक संग्रह 'जीवन का मेला' व 'कलियुग' --- कहानी संग्रह 'आखिरी रास्ता' व 'मरीचिका' --- व्यंग कथा संग्रह, 'आस्तिक चार्वाक' --- काव्यसंग्रह, 'काव्य मंदाकनी', आदि के लेखक --- संप्रतिः आकाशवाणी, नयी दिल्ली, में कम्पेयर पद पर कार्यरत।

देश एक, एक हैं हम सब

धर्माडम्बर से जकड़ कहीं
मानवता सिसक-सिसक रोती ।
बस ठीक यहीं हिंसा होती
बस ठीक यहीं पीड़ा होती ।।

आपस में धर्म उलझते जब
उठती मानवता की कराह ।
प्रतिदिन बस्ती में बम फटते
निकला करती कारुणिक आह ।।

जब तक प्रतीक बन धर्म रहा
तब तक इसकी पूजा होती ।
पर कट्टरता से पूर्ण धर्म की
वहीं बड़ी निन्दा होती ।।

यथार्थ धर्म वही कि जिसमें
दया, क्षमा, करुणा अथाह ।
मानव, मानव के लिए दर्द हो
सबके लिए सभी की चाह ।।

सत्य एक है चमक रहा जो
चमक रहा है सत्य महान ।
धर्म प्रतीक मात्र है सबका
इसका निर्माता इन्सान ।।

इसलिये सत्य को समझ-बूझ कर
सत्यों की पहचान करें हम ।
केवल प्रतीक के लिये असत्यों
का विधिवत बलिदान करें हम।।

11

विश्वास की हत्या न हो

– डॉ. गोविन्द व्यास*

मेरी माँ को
अब सपने नहीं आते।
मेरे बच्चों को
नींद नहीं आती है।
और मेरी तो आँख में
आँसू भी नहीं आ रहे हैं।

मेरा एक बाजू
दूसरे बाजू को काट रहा है।

---

* **डॉ. गोविन्द व्यास** – हिन्दी में एम. ए., पीएच. डी. --- हिन्दी के अत्यन्त लोकप्रिय कवि एवं स्थापित व्यंग्यकार --- गत 45 वर्षों से देश एवं विदेश के 5000 से अधिक कवि सम्मेलनों में काव्य पाठ --- लाल किले के अखिल भारतीय कवि सम्मेलन एवं दूरदर्शन के राष्ट्रीय चैनल पर अधिकांश साहित्यिक कार्यक्रमों एवं कवि सम्मेलनों का संचालन --- काव्य संग्रह 'मेरे इस देश में' --- गत् वर्ष अमेरिका के 25 शहरों में और बैंकाक, नेपाल, मस्कट, ओमान और दुबई आदि अनेक देशों में काव्य-पाठ --- हिन्दी भवन के आजीवन न्यासी एवं मंत्री --- देश की अनेक प्रतिष्ठित साहित्यिक, सामाजिक एवं सांस्कृतिक संस्थाओं द्वारा सम्मानित --- सम्प्रति: दिल्ली विश्वविद्यालय के दिल्ली कॉलेज ऑफ आर्ट्स में हिन्दी विभाग के वरिष्ठ प्रोफेसर।

देश एक, एक हैं हम सब

ये मुझे कौन बाँट रहा है।
तुम्हारी तो हत्या हत्यारों ने की
पर हमारी तो हत्या हमारों ने की।
हत्या-दर-हत्या का ये सिलसिला
मेरे शहर
तुझे आत्महत्या करके क्या मिला।
हत्या किसी की भी हो
उसके पीछे एक कड़ी होती है।
लेकिन विश्वास की हत्या
इतिहास की हत्या से भी ज्यादा बड़ी होती है।

12

देश पे कुर्बान जायेंगें

– श्री जगदीश जैन 'जगदीश'*

हम अपने प्यारे देश पे कुर्बान जायेंगें
हम इसको सारे विश्व का नेता बनायेंगे।

गौतम से हमने पाठ अहिंसा का है पढ़ा
गाँधी के दम-कदम से जो परवान है चढ़ा।
कितना महान् काम है बापू जो कर गया
इस काम को हम और भी आगे बढ़ायेंगें।।

हम शांति के दूत हैं संसार के लिये
रोशन चिराग हम ने अहिंसा के हैं किये।
जीवन के पथ में हम ने जलाये हैं जो दिये
राह चलने वालों को वही रास्ता दिखायेंगें।।

---

* **श्री जगदीश जैन 'जगदीश'** – हरियाणा में जन्मे --- पंजाब और दिल्ली यूनिवर्सिटी से उच्च शिक्षा --- द्वितीय विश्व युद्ध के दौरान सेना में कमीशन ऑफिसर --- बाद में लोक सेवा आयोग में गर्वनमेंट टेलीग्राफ में रहे --- स्कूल के समय से ही उर्दू कविताएँ लिखने का शौक --- उर्दू एसोसिएशन के सचिव रहे --- उर्दू कवियों के जानकार --- दिल्ली, हरियाणा, पंजाब के उर्दू कवियों में मशहूर --- उर्दू में कई कविताएँ प्रकाशित --- सामाजिक और शैक्षिक गतिविधियों से जुड़े हैं।

देश एक, एक हैं हम सब

भारत की सभ्यता का हैं दामन बड़ा विशाल
इतना विशाल जिस की कहीं भी नहीं मिसाल।
फूलों के साथ काँटे भी हमने लिये संभाल
दोनों को साथ-साथ चमन में सजायेंगे।

है एकता पे देश की ताकत का इनहसार
है एकता के दम से ही हासिल इसे वकार।
दुश्मन की आँख में ये खटकती है बन के खार
हम इसको दुश्मनों की नज़र से बचायेंगे।।

हम एक हैं तो एक हमारी गम-खुशी
है एकता ही शान हमारे समाज की।
भारत को सारे विश्व से अच्छा बनायेंगे
हम अपने प्यारे देश पे कुर्बान जायेंगें।।

13

पहले इन्सान बनें

– श्री किशन सरोज*

हिन्दू-सिख, पिछड़े जन-सवर्ण, यह शेष-बिरहमन के झगड़े
बरबाद न कर दें कहीं हमें, अपने घर-आँगन के झगड़े।
जाने यह किसकी नज़र लगी, मुस्काना भूल गई कलियाँ
हँसना भूले मनचले फूल, गुंजन भूलीं भ्रमरावलियाँ।।
सहमे-सहमे-से नगर-गांव, भूले मेलों की रँग-रलियाँ
पायल की रुन-झुन भूल गये घायल, बाजार चौक, गलियाँ।।
सडकों पर बूटों की आहट, बोझिल मौसम, गुमसुम पनघट
होंगें 'नानक' व 'मोहम्मद' से कब तक 'रघुनन्दन' के झगड़े?

कुछ तुम भूलो, कुछ हम भूलें, ईश्वर से करें प्रार्थनायें।
सुलगें न और गुजरात, असम, अब जलें न और अयोध्याएँ।।
मन हों कबीर-जैसे निर्मल, भाई-भाई फिर मिल जायें।
गीतों के दामन से लिपटे, गज़लों के आंचल लहरायें।।

---

* **श्री किशन सरोज –** कला स्नातक --- रेलवे से सेवानिवृत्त --- मुख्य विधा 'गीत' --- धर्मयुग, सा. हिन्दुस्तान, नवनीत, कादम्बिनी सहित शताधिक पत्र-पत्रिकाओं में रचना, साक्षात्कार, संस्मरण आदि प्रकाशित --- असंख्य महत्वपूर्ण संकलनों में गीत सम्मिलित --- हजारों अखिल भारतीय कवि सम्मेलनों में भागीदारी --- दृश्य-श्रव्य मीडिया द्वारा प्रसारण --- दो गीत-संग्रह प्रकाशित --- अग्रिम पंक्ति के गीत-कवियों में गणना।

देश एक, एक हैं हम सब

महके कश्मीरी अमराई, बादल सँग घूमे पुरवाई
अब और न हों इस मधुवन में फागुन से सावन के झगड़े
गांधी, नेहरू के सपनों का भारत हो फिर से मूर्तिमान
मन्दिर में घंटे बजें, पास ही मस्ज़िद में गूंजे अजान

हों सब के लिए पवित्र बाइबिल, गुरुबानी, गीता, कुरान
पहले इन्सान बनें, फिर हिन्दू, सिख, ईसाई, मुसलमान
मानवता के दृग सजल न हों, माफिए वोट के सफल न हों
अनुयायी प्रजातन्त्र के हम, फिर क्यों सिंहासन के झगड़े?

14

धर्म के नाम पर मत कफ़न बाँटिये

– डॉ. अशोक 'मधुप'*

धर्म के नाम पर मत कफ़न बाँटिये।
मत सियासत की खातिर वतन बाँटिये।
खून की होलियाँ न खेलिये देश में,
देश को सिर्फ़ चैन-औ-अमन बाँटिये।

जाति, भाषा और प्रान्तों में मत बाँटिये।
बैठे जिस डाल पर उसको मत छाँटिये।
ये जो गंगा-यमुना की है पावन धरा,
मातु-भारत के अंगों को मत काटिये।

अब ये उन्माद की बात मत बोलिये।
विष ये विध्वंस का और मत घोलिये।

---

* **डॉ. अशोक 'मधुप'** – हिन्दी एवं संस्कृत में परास्नातक, डी.इ.एच.एम. --- साहित्य सेवा के साथ फिल्म एवं रंगमंच के क्षेत्र में अभिनय व निर्देशन --- विगत 20 वर्षों से अधिक सक्रिय रूप से पत्र-पत्रिकाओं व काव्यमाला के सम्पादक --- आकाशवाणी/दूरदर्शन में काव्य पाठ --- भारत के विभिन्न विश्वविद्यालयों में व्याख्यान --- देश की अनेक प्रतिष्ठित संस्थाओं द्वारा सम्मानित --- काव्यसंग्रह 'तुम छू लो' व गीत-गज़ल संग्रह 'पतझड़ों के दर्द' --- सम्प्रति, उ. प्र. राज्य औद्योगिक विकास निगम लि. में सेवारत।

देश एक, एक हैं हम सब

भूल कर तुम भटक तो गये, दोस्तों,
हो गयी शाम अब अपने घर लौटिये।

बात नफ़रत की दिल से हटा दीजिये।
मज़हबी इस नशे को मिटा दीजिये।
सारे तीरथ-धरम, काबा-काशी यहीं
एक हैं हम, जहाँ को दिखा दीजिये।

15

आदमीयत है ज़रूरी आपके आचार में

– **नीलांजली जैन 'केसर'***

आपका मज़हब भले कुछ भी रहे संसार में
प्यार होना चाहिए, पर, आपके व्यवहार में।

आप ईसाई हों हिंदू हों मुसलमां, सिख भले
आदमीयत है ज़रूरी आपके आचार में।

एकता का है तकाज़ा, है समय की माँग भी
हम क़दम मिलकर उठाएँ राष्ट्र के उद्धार में।

हम सभी भारत के हैं, भारत हमारा देश है
क्यों नहीं मिलकर रहें हम सब इसी परिवार में।

आपसी सद्भाव-मैत्री में करें सहयोग हम
दूसरों को प्यार ही बस प्यार दें उपहार में।

कम नहीं है रोग से नफ़रत, घृणा, ईर्ष्या, जलन
हम सभी मिलकर जुटें हर रोग के उपचार में।

---

* **नीलांजली जैन 'केसर'** – एम.बी.बी.एस. --- अनेक पत्र-पत्रिकाओं में काव्य-रचनाएँ प्रकाशित।

है ज़रूरी जानना नफ़रत को फैलाते हैं कौन
भेड़िए भी हैं छिपे इन्सान के आकार में।

हम विवादों में समय को नष्ट करते हैं तो क्यों
क्या किसी को भी हासिल है कुछ तकरार में।

लग रही दीवार है उनको हमारी एकता
हैं कहीं कुछ लोग चाहें छेद जो दीवार में।

दूसरों का जो भी मज़हब हो, उसे सम्मान दें
हम रहें तत्पर किसी मज़हब के भी सत्कार में।

आप से 'नीलांजली केसर' का यह अनुरोध है
रह न जाए कुछ कमी हरगिज हमारे प्यार में।

16

कर्म ही हमारा धर्म है

– डॉ. राजेश्वरी शांडिल्य*

धर्म आस्था का नाम है, धर्म ईमान है,
धर्म पूजा है, प्रार्थना है और अरदास है।
धर्म समर्पण है, परमसत्ता से मिलन है
धर्म कर्म है, कर्म ही हमारा धर्म है।

गाँधी ने कहा सत्य ईश्वर है, वेदों ने
इसे एक कहा, परन्तु इसके मार्ग अनेक हैं।
गौतम, ईसा, नानक, पीर, फकीर सबका
है विश्वास यही, पर उसके नाम अनेक।

उपनिषदों ने ब्रह्म को सर्वव्याप्त बताया,
सूफियों ने इसी को बार-बार दोहराया।
ईसा ने इसी को अपने मत का आधार बनाया
यहूदियों को इसका विश्वास न हुआ, उन्हें फाँसी चढ़ाया।

---

* **डॉ. राजेश्वरी शांडिल्य** – पी-एच. डी. तथा डी. लिट् --- पूर्व अध्यक्ष, विश्व भोजपुरी, महिला साहित्य सम्मेलन --- पूर्व प्रधान संपादक, भोजपुरी लोक --- अनेक प्रतिष्ठित सम्मान, पुरस्कार तथा मानद उपाधियाँ प्राप्त।

देश एक, एक हैं हम सब

ईश्वर एक रहा, एक है, और एक रहेगा,
मानव का अंतरमन एक है नेक,
मन चंचल, तन चंचल, चंचल है विश्वास,
फिर भी आस्था का संबल देता गहरी आस।

इंसान बंटा, ज़मीन बंटी और बंटा ईमान,
अब न बचा कुछ बंटने को, क्यों रोता इंसान।
मज़हब नहीं सिखाता आपस में बैर करना,
बैर हमारी फितरत है, कभी न इसे अपनाना।

मानव मन का मैल भगाओ,
ब्रह्म में मिलकर, ब्रह्म हो जाओ।
भेद-विभेद सब स्वाहा होगा,
मानवता का बिगुल बजेगा।

सत्यधर्म का ज्ञाता वह जो जाने पीर परायी,
छद्म धर्म की आग में जलता वह क्या जाने सच्चाई।
पादरी, पंडित, मुल्ला, ग्रन्थी सब भटके इंसान,
मानव मन की व्यथा न जाने, न जाने ईमान,

यह मानव मन का मिलन बिन्दु है,
गंगा, यमुना, सरस्वती का संगम सिंधु है।
जल में संगम, थल में संगम,
क्यों न रहे, मानव में संगम।

जाति, धर्म का भेद मिटाकर,
सबको संगम-संगम कर,
मन-मन में विश्वास बढ़ेगा,
मानवता के प्रति, उदार बनेगा।

17

सद्भाव के फूल खिलाओ

– डॉ. मुहम्मद अहमद*

सद्भाव से प्रेम का दीपक जलाओ
हर बगिया में सुवासित पुष्प खिलाओ ।

ये नकाबपोश आए हैं खून बहाने
अपने दुष्कर्मों से हम सबको सताने
बढ़ती ही जा रही है दिलों की दूरियाँ
प्रेम-सुधा बरसाओ, धर्म-मर्म बताओ ।

फ़िजा में घुल रही बारूद की गंधता
रिश्तों में पनप रही विकट अंधता
जब भाई ही भाई का दुश्मन बन बैठा
रंग भरो स्नेह का, दिलों को परचाओ ।

---

* **डॉ. मुहम्मद अहमद** – पत्रकारिता एवं जनसंचार में स्नातकोत्तर --- फाज़िल दौनियात (उर्दू), देबबंद, से होम्यो में स्नातकोत्तर --- कई पुस्तकों का लेखन एवं अनुवाद --- 18 वर्ष की अवस्था से संपादन कार्य --- पत्रकारिता जीवन के आरंभिक लगभग दस वर्षों तक विभिन्न अवधियों में 'परिवेश', 'एकता सन्देश', 'परांडकर सन्देश' के प्रधान संपादन --- समाचार पत्र 'आज' का मुख्य संपादन --- उत्तर प्रदेश की अनेक प्रतिष्ठित साहित्यिक, सामाजिक एवं सांस्कृतिक संस्थाओं द्वारा सम्मानित --- सम्प्रति, संपादक 'कान्ति' --- संयोजक, इस्लामी साहित्य संगम।

बागबां के हाथ में कांटे किसने दिए?
उनके पर कतरने के सांचे किसने दिए?
गुलशन में फूलों की रंगत बदल गई
नई पौध लगाओ, नए फूल खिलाओ ।

यह बहुरंगी चादर दाग से सिसक रही
हिंसकों के कुटिल प्रहार से बिलख रही
नफ़रत के बीज बोकर बनते जनसेवी
असुरता भगाओ, धर्म-भाव जगाओ ।

18

एक रहेगा हिन्दुस्तान

– डॉ. राजवीर सिंह 'क्रान्तिकारी'*

संत फकीरों के दर पर होते पर्दे दीवार नहीं।
गीता-ग्रन्थ-कुरान-बाईबिल में कोई तकरार नहीं।।

धर्म किया बदनाम पादरी, पण्डे, फतबे बाजों ने।
मासूमों का लहू पिया सत्ता के प्यासे बाजों ने।।

जहाँ मठाधीशों के गढ़ हैं नफ़रत के तूफान वहीं।
जहाँ वोट के सौदागर हैं लड़ते हैं इन्सान वहीं।।

कब तक धर्म कलंकित होगा लहू बहेगा सड़कों पर।
कब तक कुर्सी की खातिर यह देश बँटेगा सड़कों पर।।

कब तक झण्डे लिये फिरोगे अलगावी गद्दारों के।
कब तक मोहरे बने रहोगे देश के ठेकेदारों के।।

---

* **डॉ. राजवीर सिंह 'क्रान्तिकारी'** – अर्थशास्त्र में एम.ए., पी.एच.डी. --- जे. एस. हिन्दू (पी.जी.) कॉलेज, अमरोहा, में प्रवक्ता, रीडर, उप-प्राचार्य और प्राचार्य पद से सेवानिवृत्त --- 1977 से निरन्तर मंचीय कवि --- हिन्दी में 13 से अधिक रचनाएँ प्रकाशित, जैसे क्रान्ति के स्वर, आह्वान, विकल्प, पानी हिन्दुस्तानी, युग निर्माता-1, 2 --- सम्राट, निष्कलंक सुभाष, दिल्ली चलो, लोकतंत्र कहाँ, पानी हिन्दुस्तानी है, क्रान्तिकारी स्वर, आदि।

उठो साथियो तुरत गिरा दो नफ़रत की दीवारों को।
बेनकाब कर सबक सिखा दो देश के इन गद्दारों को।।

हिन्दू-मुस्लिम-सिख एक हैं, एक रहेगा हिन्दुस्तान।
कह दो सारी दुनिया से अब नहीं बँटेगा हिन्दुस्तान।।

भुला दिया पैगाम 'बहादुरशाह-ज़फर-सुल्तान' का।
भुला दिया संदेश देश ने 'गीता' और 'कुरान' का।।

भुला दिया बलिदान वतन ने वीर 'सुभाष' महान का।
इसलिए तो नक्शा बिगड़ा मेरे हिन्दुस्तान का।।

19

सर्व धर्म समभाव हमारे संस्कार का द्योतक है

– एडवोकेट अवधेश कुमार मिश्र*

सर्व धर्म समभाव हमारे संस्कार का द्योतक है।
संविधान सदा सुरक्षित नियमों का उद्पोषक है।।

हमारा धर्म एक मानवता है
मेरा गुण सेवा समरसता है
हम कभी स्वार्थ हित नहीं लड़े
सदा हम सत्य-अहिंसा हेतु बढ़े।
इतिहास पृष्ठ पर सत्य अहिंसा के सच्चे हम पोषक हैं।
सर्व धर्म समभाव हमारे संस्कार का द्योतक है।।

सर्व धर्मों का आदर होता है
सत्कार अतिथि सादर होता है

---

* **एडवोकेट अवधेश कुमार मिश्र** – लंबे अर्से से काव्य-रचना के क्षेत्र में --- गौतम बुद्ध के जीवन पर आधारित महाकाव्य 'वनप्रयाग' के रचयिता --- आपका काव्यसंग्रह 'काव्य चतुरंगीनी', काव्यखण्ड 'युद्ध पर्व' तथा शताधिक साहित्यिक रचनायें प्रकाशनाधीन --- आपके अनेक वार्ता तथा कवितायें आकाशवाणी तथा दूरदर्शन द्वारा प्रकाशित --- संप्रति, अधिवक्ता, उच्चतम न्यायालय, नयी दिल्ली।

हाँ जब-जब भू पर भार बढ़ा
जहाँ धैर्य-क्षमा का पाठ पढ़ा।

गलत वृत्तियों के विरुद्ध हम कुविचारों के पोषक हैं।
सर्व धर्म समभाव हमारे संस्कार का द्योतक है।।

गिरिजाघर में फादर बैठे
देवालय में पंडित भी पैठे
मस्ज़िद मुल्ला हाजी होवें
गुरुद्वारे गुरु अप्रेम धोवें।

ऐसे गुण पास सदा जो दुर्गुण के अवरोधक हैं।
सर्व धर्म समभाव हमारे संस्कार का द्योतक है।।

साम्प्रदायिक हिंसा जब होती
संवैधानिक गरिमा को छूती
हिंसा कलंक है मानवता पर
तरस आती बुद्धिहीन जनता पर।

क्या जन्म, कर्म, भूख, प्यास आपस में विद्वेषक हैं?
सर्व धर्म समभाव हमारे संस्कार का द्योतक है।।

20

बापू तुम्हारे देश में क्या-क्या हो रहा है

– अनिल कुमार यादव*

बापू तुम्हारे देश में क्या-क्या हो रहा है
अहिंसा-त्याग, हिंसा का उद्घोष हो रहा है।
बापू तुम्हारे देश में क्या-क्या हो रहा है!

तुमने जहाँ से शोषण, उत्पीड़न, भ्रष्टाचार था मिटाया
वहीं आज इनकी भरमार हो रही है।
बापू तुम्हारे देश में क्या-क्या हो रहा है!

नक्शे-कदम पे चलने की कस्में थीं जिसने खायी
नक्शे-कदम तो दूर आज ईमान बिक रहा है।
बापू तुम्हारे देश में क्या-क्या हो रहा है!

---

* **अनिल कुमार यादव** – हिन्दी साहित्य व हिन्दी काव्य में गहरी अभिरुचि --- शताधिक कवितायें प्रकाशित --- काव्य संग्रह प्रकाशनाधीन --- संप्रति, न्यायधीश, गाजियाबाद, उत्तर प्रदेश।

कितने हुये शहीद पर कभी कुर्सी नहीं चाही
आज कुर्सी के खातिर क्या हाल हो रहा है।
बापू तुम्हारे देश में क्या-क्या हो रहा है!

आना होगा बापू तुम्हें फिर देश को सँभालने
तेरे बगैर ये देश बर्बाद हो रहा है।
बापू तुम्हारे देश में क्या-क्या हो रहा है!

राष्ट्रीय एकता हेतु तुमने दी थी कुर्बानी
पर अब भी इस सवाल से दीदार हो रहा है।
बापू तुम्हारे देश में क्या-क्या हो रहा है!

21

मिल-जुलकर सब रहें प्रेम से

– डॉ. सुलोचना शर्मा*

मनुज देवता बने, बने यह धरती स्वर्ग समान।
यही संकल्प हमारा।।
विचार क्रान्ति अभियान, इसी को कहते युग निर्माण।।
यही संकल्प हमारा।।

द्वेष, दम्भ, छल मिटे यहाँ पर, ना कोई भ्रष्टाचारी हो।
सभी सुखी हों सबका हित हो, जन-जन पर उपकारी हो।
मिल-जुलकर सब रहें प्रेम से, दें सबको सम्मान।।

भेदभाव हो दूर सिक्ख, हिन्दू, मुस्लिम ईसाई का।
परमपिता के पुत्र सभी का, नाता भाई-भाई का।।
सब ही एक समान सभी, जगदीश्वर की संतान।।

---

* **डॉ. सुलोचना शर्मा** – बी.ए., एम.ए., पी.एच.डी. --- देव संस्कृति विश्वविद्यालय, शांतिकुंज, में अध्यापन --- विगत 24 वर्षों से शांतिकुंज के युग शिल्पी सत्र तथा जीवन साधना सत्रों में अध्यापन --- बड़े जन-सम्मेलनों में वक्ता के रूप में भागीदारी --- जन-जागरण हेतु निकलने वाली महिला टोली की एक सदस्या --- सम्प्रति, नारी जागरण अभियान के देश-व्यापी कार्यक्रम को समर्पित।

देश एक, एक हैं हम सब

सदाचार अपनायें सब जन, प्रभु के साझेदार बनें।।
अनाचार से नाता तोड़ें, नैतिक बनें उदार बने।।
सादा जीवन बने सभी का, फैले फिर सद्ज्ञान।।

22

आदमीयत ही हमारी शान है

– अवधेश पाण्डेय*

इस देश में
नीरू भी हैं नीमा भी हैं।
मगहर भी है काशी भी है
पथिक भी है पंथ भी और
गृहस्थ सन्यासी भी है।

पर यहाँ,
पाखंड, अंधविश्वास और जातीयता के वक्ष को
जो छेद डाले, है बहुत तरकस
मगर वह तीर नहीं है।
पंडित भी है, मुल्ला भी है, पर,
कबीर नहीं हैं।

आज तो चारों तरफ सबके रुधिर में
स्वार्थ की ही सर्पिणी बलखा रही है।

---

* **अवधेश पाण्डेय –** एम. ए. (हिन्दी) --- स्टेट बैंक ऑफ इंडिया से सम्बद्ध रहकर सेवानिवृत्त --- पूर्व उपमहामंत्री, स्टेट बैंक ऑफ इंडिया स्टाफ एसोसिएशन --- गोरखपुर अंचल, लखनऊ मंडल।

है नचाती कामना के बीन पर
गीत केवल ध्वंस के ही गा रही है।।

ध्वंस के ये गीत, सबको बांध कटुता के स्वरों में
नफ़रतों की आग को दहका रहे हैं।
और धोखे से मनुज को प्यार और विश्वास का पंथ
बन्द कर, बहका रहे हैं।

ध्वंस के ये गीत, जिसके विषम स्वर;
गुंजरित होने लगे हैं देश के उस पार, तोड़ सारे बंधनों को।
ज्यों कोई संकेत से गणिका निमंत्रण दे रही हो
उग्रवादी शक्ति को, आतंक को और लम्पटों को।।

क्या यही था लक्ष्य उस नर श्रेष्ठ का, देख जिसको
आंधियाँ जब भी गुजरतीं, सहम जाती
क्रूरता के चरम पर जो शक्ति थी, उस संत के सम्मुख
स्वयं सम्मान में नज़रे झुकाती।

जाति से और धर्म से भी मुक्त हो कर
प्राणियों की सुश्रूषा में सांस तक जिनका समर्पित।
ओ मदर, है भावना कुत्सित हमारी
हम नहीं लायक भला क्या कर सकेंगे तुम्हें अर्पित।।

क्या इन्हीं की पीढ़ियाँ हम, हम इन्हीं के वंशधर हैं?
क्या हमीं संतान भारत भूमि की, मूक जिसके कंठ स्वर हैं?
क्यों हमारे कर बंधे हैं, जुबां पर ताले पड़े हैं।
अस्मतें लुटते रहे और सांस रोके हम खड़े हैं।

रक्त के छींटें पड़े जो तन बदन पर, हम उसे
लाख धोयें किन्तु क्या वह दाग भी मिट पायेगा।
आदमीयत ही हमारी शान है, सम्मान है,
वह मिटा तो देश क्या, संसार क्या बच पायेगा।

इसलिये आओ चलें हम, इस धरोहर को बचा लें
कुचलकर आतंक को हम विश्व को अपना बना लें,
हम अंधेरे को मिटा कर, ज्योति समता का जला लें
त्याग कर नफ़रत, चलो फिर प्रेम के हम गीत गा लें।।

23

मस्ज़िद और मन्दिर से कोहराम!

– डॉ. आनन्द सुमन सिंह*

मस्ज़िद की मीनार से
अल्लाह-हो-अकबर की आवाज़
और मन्दिर के परकोटे से
हर-हर महादेव का नाद
और मच गया कोहराम
सारे शहर में।

इधर-उधर खून की नदियाँ
मरे पड़े हैं भोले-भाले लोग
साथ ही स्कूल से लौटते
नन्हें-मुन्ने बच्चे

---

* **आनंद सुमन सिंह** – पत्रकारिता एवं जन-संचार विशारद में बी.जे. मास कॉम --- चिकित्सा विज्ञान स्नातक तथा वैदिक धर्म और इस्लाम में डी.लिट् --- अनेक देश-विदेश के साहित्यिक, सामाजिक एवं सांस्कृतिक संस्थाओं में सक्रिय रूप में जुड़ाव --- भारत सहित अनेक देशों के पत्र-पत्रिकाओं में हजारों क्रान्तिकारी आलेख प्रकाशित --- कबीर सम्मान (2007) सहित ग्यारह सौ प्रतिष्ठित सम्मान, पुरस्कार तथा बीस से अधिक मानद उपाधियाँ प्राप्त।

जिन्होंने आने वाले जीवन
के लिए देखे थे हजारों सपने
किन्तु जिनके जीवन की
यूं ही हो गई शाम।

अगले दिन बनने लगी
शान्ति समितियाँ
अर्पित की जाने लगीं
श्रद्धांजलियाँ
किन्तु इससे क्या लौट आयेंगे वह
जिनका कोई अपराध नहीं था
जिन्होंने दिन भर की थी मेहनत
नहीं किया था विश्राम।

मस्ज़िद और मन्दिर के मुल्ला और पंडित
लड़ाने के बाद सबको अब बैठे हैं एक साथ
तले काजू और नमकीन रखे हैं मेज़ पर
और दोनों के हाथ में हैं जाम
क्या मेरे देश का होगा यही अंजाम!

24

ज़रूरी है बहुत इस दौर में इन्साँ होना

– पंडित हरिराम द्विवेदी*

ज़रूरी है नहीं हिन्दू या मुसलमाँ होना
ज़रूरी है बहुत इस दौर में इन्साँ होना।
होना मुश्किल बहुत भले ही बहुत मुश्किल हो
बहुत आसान नहीं है बहुत आसाँ होना।।

जहाँ एहसास मुहब्बत का अपनेपन का हो
लगे अच्छा बहुत ऐसों के दरमियाँ होना।
छिपाके रखने वाली बात छिपाये रखिये
नहीं अच्छा है ऐसी बात का अयाँ होना।

उसकी खुशी किस्मती अब इससे बड़ी क्या होगी
नसीब हो जिसे आशिक का गरेबाँ होना।

---

* **पंडित हरिराम द्विवेदी** – एम. ए., बी. एड. --- साहित्यिक, साँस्कृतिक एवं कलात्मक अभिरुचि से विभूषित --- लगभग तीन दशक तक आकाशवाणी की प्रसारण-सेवा से सम्बद्ध रहकर सेवानिवृत्त --- हिन्दी एवं भोजपुरी के स्थापित कवियों में प्रतिष्ठित --- साहित्य अकादमी पुरस्कार सहित देश के अनेक प्रतिष्ठित सम्मान और पुरस्कार से सम्मानित --- हिन्दी एवं भोजपुरी में 15 से अधिक रचनाएँ प्रकाशित --- अपनी लोक-संस्कृति के प्रति निष्ठावान --- राष्ट्रीय एकता एवं साम्प्रदायिक सद्भाव के प्रति विशेष समर्पित।

काँप जाती है रूह नाम से जिसके या रब
क्या कहूँ कैसा लगे उसका मेहरबाँ होना।

रहनुमाई का हुनर है नर हम हैं जिनमें
नहीं कबूल है ऐसों का रहनुमा होना।

25

हम तो केवल आदमी हैं, आदमी!

– **डॉ. राम कृष्ण लाल 'जगमग'***

धारा से उल्टा कभी तुम मत बहो
एकता की बाँह तुम निशदिन गहो,
हम तो केवल आदमी हैं, आदमी
हम को हिन्दू, सिख, ईसाई मत कहो।

यह है भारत जिससे सबको प्यार है,
बच्चा-बच्चा देश पर बलिहार है,
साम्प्रदायिक आग भड़काता है जो,
देश का वह शत्रु है, गद्दार है।

द्वेष, कुंठा का घिनौना दौर है
कंटकों से ही भरा हर ठौर है,

* **डॉ. राम कृष्ण लाल 'जगमग'** – कवि --- काव्य संकलन 'चाशनी', 'किसी की दिवाली किसी का दिवाला', 'हम तो केवल आदमी हैं', खण्ड काव्य 'विलाप', व बालपयोगी कविताएँ 'बाल-सुमन', आदि अनेकानेक पुस्तकें प्रकाशनाधीन --- आकाशवाणी/दूरदर्शन में काव्य-पाठ --- सम्मेलनों में काव्य-पाठ व संचालन --- समग्र चेतना साहित्यिक संस्था, दिल्ली, द्वारा 'काव्य भूषण' से सम्मानित --- अनेकानेक राष्ट्रीय संस्थाओं द्वारा सम्मानित।

देश के हित में जियो औ मरो 'जगमग'
देश पहले, बाद में कुछ और है।

कर्म-क्षेत्र है अपना जीवन ढ़ाल बना दो
नफ़रत के घट को पूजा का थाल बना दो,
तुम विकास की किरण बिखेरो ऐसी 'जगमग'
भारत का हर गाँव शहर खुशहाल बना दो।

शान्ति की तस्वीर मत बदरंग कीजिए
भाई होकर भाई से मत जंग कीजिए,
मेरी बात 'जगमग' रखिए सहेज कर
अपने वतन की एकता मत भंग कीजिए।

काम चलेगा नहीं खोखले नारों से
अपना देश बचा लो तुम गद्दारों से,
घर पर खतरा नहीं बाहरी रिपुओं से
खतरा है तो घर के पहरेदारों से।

कैसा भी हो नियम प्यार में कड़ा नहीं होता है
कोई शास्त्र कलम के सम्मुख खड़ा नहीं होता है,
धर्म और मज़हब के ठेकेदारों सुन लो कान खोलकर
कोई धर्म राष्ट्र से अपने बड़ा नहीं होता है।

26

पर ये क्यों नहीं कहते 'दो लाख इंसान मरे' !

– डॉ. तारिक असलम 'तस्नीम'*

आज
पर्वत-सा नंगा दिखने लगा है आदमी
स्वार्थ के आगे हाथ जोड़े खड़ा
संबंधों की कहासुनी
आपसी भाईचारगी-मेल मुहब्बत से
बचने लगा है आदमी
अपना ही चेहरा आईने में
अपरिचित-अनदेखा
नज़र आता है उसको

* **डॉ. तारिक असलम 'तस्नीम'** – हिंदी काव्य-सृजन में सन 1977 ई. से सक्रिय --- देश की अनेक चर्चित एवं प्रतिष्ठित पत्र-पत्रिकाओं में कविताएँ सतत् प्रकाशित --- आकाशवाणी, पटना, से कविताएँ प्रसारित --- अनेक पत्र-पत्रिकाओं का संपादन --- 'शब्द इतिहास नहीं रचते' काव्य-संग्रह, राजभाषा विभाग, बिहार सरकार, द्वारा पुरस्कृत --- अनेक अखिल भारतीय सम्मान एवं पुरस्कार से सम्मानित --- गद्य और पद्य के छह संग्रह प्रकाशित --- सम्प्रति, कार्मिक एवं प्रशासनिक सुधार विभाग तथा राजभाषा विभाग, झारखंड सरकार, के अन्तर्गत कार्यरत।

देश एक, एक हैं हम सब

मन में उभरती बात, पल-पल छलती मुलाकात
वो बताए किसको?

अल्लाह के बन्दे हों या ईश्वर भक्त
राह चलते सब सिर झुकाए हुए
किसे खबर/कब कहाँ?
खरगोश की खाल में छिपे भेडिये, किसी बहाने
राख के ढेर में बदल दे, गाँव-शहर
मज़हब सुलगने दें, नफ़रतों के चूल्हे पर
धार्मिक सहिष्णुता
राष्ट्रीय एकता को लगे नज़र
बेहतर होगा कि हम सब इस एक सवाल पर
डालें गहरी दृष्टि होकर तत्पर

'क्यों हम एक दूसरे की गर्दन पर
रखकर छुरियाँ
रक्तरंजित हाथों से बोते हैं
रिश्तों के आंगन में खौफ और दूरियाँ
हमारी साँसों में घुलता है जहर
फिर चीखतें हैं, 'एक लाख हिन्दु-एक लाख मुसलमान
मरे।'

पर ये क्यों नहीं कहते-सोचते 'दो लाख इंसान मरे!'
क्योंकि यह एक सवाल सदियों जिंदा रहेगा
भविष्य में
मानवता का इतिहास कैसा होगा?
जब आदमियों के बीच सही मायने में
कोई आदमी जैसा नहीं होगा?

27

मनायेंगे सब इक साथ मिलकर

– डॉ. विजय कुमार*

बेशुमार लोग हैं जहां भर में
अपनी अपनी हैं जुबानें सबकी,
कितनी रस्में हैं, किस्में हैं, मज़हब कितने
बंटे हुए हैं इंसां सरहदों में आज भी।

मगर कुछ है अभी बाकी जो जोड़ता है हमें
एक जैसी है हर इन्सान के दिल की जुबां,
एक जैसी है हंसी, अश्क, शैफ़ रन्जे अगम
एक जैसा है जज़्बा अम्नों तरक्क़ी का।

रोक पाएगा फिर कौन सोच की उड़ानों को
मुंह की खायेंगे हर हाल में दहशत पसन्द,

---

* **डॉ. विजय कुमार** – दिल्ली विश्वविद्यालय से एम.बी.बी.एस, डी.सी.एच, एम.डी. (पैथोलोजी) --- आचार्य भिक्षु सरकारी अस्पताल, मोती नगर, दिल्ली में कार्यरत --- फासले (2003), कभी कभी (2004), नज़्म संग्रह, साथिया (2006), गज़ल संग्रह और अंतरजीवन के साक्ष्य (2006) के लेखक --- डायरी लेखन के लिए पुरस्कृत --- रेडियो, टीवी और मंच पर गज़ल प्रस्तुत करते रहे हैं --- हिन्दी अकादमी और उर्दू अकादमी, दिल्ली द्वारा आप की गज़लें प्रस्तुत की जा चुकी हैं --- अंग्रेजी में भी आप की बहुत-सी कविताएँ रेडियो द्वारा प्रसारित की जा चुकी हैं।

देश एक, एक हैं हम सब

कर न पाएगा कोई नेता मुल्क के टुकड़े
हम मनायेंगे सब इक साथ मिलकर
ईद, दीवाली, क्रिसमस और गुरुपरब

ढ़ंग जीने का तुम्हारा सही ज़ुदा हमसे
रहे हयात पे दो चार क़दम साथ चलो
अगर इन्सान की मेहनत कहीं भी रंग लाए
क्यूं न हर शख्स के काम आए तरक़्क़ी ऐसी

जुल्म, दहशत, गरीबी बीमारी
अगर बरपा है जहाँ में, किसी भी कोने में
कोई सरहद, कोई ताक़त न रोक पाएगी
कोई भी शख्स न रह पाएगा महफूज़ कहीं

ये जंग हमको एक साथ ही लड़नी होगी
एक धरती है मसाइल हैं यकजा रुब के
कोई सीमा नहीं, सरहद नहीं खुशी, गम में
कोई न गैर ये है वसुधैव कुटुम्बकम्।

28

प्रेम-मंत्र का करें संचार

– डॉ. महाश्वेता चतुर्वेदी*

वेदज्ञान से ज्योतिर्मय है
पूरा यह संसार।
इंद्र-मित्र या वरुण कहें
हैं सभी ईश के नाम
एक देह के अंग विविध
करते हैं अपने काम
एक पिता के प्रति हरप्राणी
करता है आभार ।

ऋषि हों, कवि हों, या कि मनीषी
हों सत्पुरुष महान ।
राम-कृष्ण हों या ईसा हों

* **डॉ. महाश्वेता चतुर्वेदी** – सात वर्ष की आयु से ही काव्य रचना करना आरंभ --- हिन्दी में चालीस से अधिक, संस्कृत में दो कृतियाँ और अंग्रेजी में दस काव्य संग्रह और दो गद्य कृतियाँ प्रकाशित --- साहित्यिक संगोष्ठियों के संदर्भ में आप अनेक विदेश यात्रायें भी कर चुकी हैं --- आप अभी एसोसिएट प्रोफेसर हैं।

गीता या कि कुरान ।
धर्म सुसम्मत वचनों पर
चलने से है उद्धार ।

तिब्बत पर रहकर ईसा ने
योगाभ्यास किया था ।
ऋषियों के वचनामृत को
तन्मय बन मौन पिया था ।
मानवता का किया विश्व में
जिसने खूब प्रसार ।

धर्म एक, मत-मज़हब के
मिलते हैं रूप अनेक ।
नदियाँ सद् विचार की निकलीं
वेद-शैल है एक ।
व्योम तले वसुधा पर व्याकुल
क्यों रहता परिवार?

बदली सा लघु जीवन अपना
लक्ष्य निजी पहचाने ।
आपस के भेदों को तज़कर
अपने को कुछ जानें ।
प्रेम-मंत्र का करें साथ
सुरभित होकर संचार ।

29

रहे प्रेम-सौहार्द

– सेराज खान 'बातिश'*

जब नहीं रहेगी धरती, माँ
जीवन की सीमाएं --- क्षेत्र
जब नहीं रहेगी, पैर के नीचे कोई ज़मीन
तब कहां रहेंगे धर्म, मज़हब, भाषा, फतवा-फितूर की बातें?

जब नहीं रहेगी, सिर पर कोई छत, कोई राष्ट्र
जब नहीं रहेगा प्रेम-सौहार्द,
जीवन का उत्स-उल्लास
जब नहीं रहेगा कोई मित्र-सखा
तब कहां रहेगी धर्म की ज्योति?

---

* **सेराज खान 'बातिश'** – कलकत्ता विश्वविद्यालय से हिन्दी और इस्लामी इतिहास में स्नातकोत्तर की उपाधि, उर्दू में सर्टिफिकेट कोर्स तथा पी.एच.डी. --- कहानी-लेखन में अग्रणी --- दैनिक जनसत्ता (कलकत्ता) में प्रूफ-रीडिंग और स्वतंत्र लेखन --- कलकत्ता दूरदर्शन के उर्दू न्यूज में दस वर्षों तक हिन्दी अनुवादक --- कुछ पत्र-पत्रिकाओं में संपादन सहयोग व संपादन --- कहानी, लघुकथा, कविता, गीत, गज़ल, लेख, साक्षात्कार, रिपोतार्ज, आदि सौ से अधिक पत्र-पत्रिकाओं में प्रकाशित --- कुछ रचनाएँ उर्दू, बँगला और अंग्रेजी में भी अनूदित व प्रकाशित --- प्रथम कहानी संग्रह 'ज़िहाद' के लिए विक्रमशिला हिन्दी विद्यापीठ, भागलपुर, बिहार, की ओर से 'विद्यावाचस्पति सम्मान' से सम्मानित --- द्वितीय कहानी संग्रह 'जहांनुमा' प्रकाशनाधीन।

आध्यात्म की शाखाएँ
आरिफ़त-मारिफ़त की हिदायतें
इसलिए ज़रूरी है कि अपनी धरती को करें प्रेम
माँ को करें प्रणाम
गायें वन्दे मातरम्
क्योंकि राष्ट्र प्रेम,
किसी बन्दगी से कम नहीं।

30

भेदभाव से ऊपर उठकर

– स्वदेश कुमार भटनागर*

धर्म और आदमी
धर्म धर्म है
और आदमी आदमी है

आदमी से धर्म है
आदमी नहीं तो धर्म भी नहीं ।
कभी ---
आदमी तो होता है, धर्म नहीं होता है।

ऐसा कभी नहीं होता कि,
धर्म हो और आदमी न हो।
धर्म पीछे तो आदमी आगे।
आदमी पीछे तो धर्म आगे।
कभी दाहिनी ओर कभी बायीं ओर।

---

* **स्वदेश कुमार भटनागर –** हिन्दी और दर्शन शास्त्र में एम.ए. --- दर्शन शास्त्र में पी.एच.डी. --- 'अक्षर शिल्पी'और 'माहिर-ए-अदब' सम्मान से सम्मानित --- आपके लेख काव्य, सुमन सौरभ, अहा जिन्दगी, सम्बोधन आदि प्रतिष्ठित पत्रिकाओं में निरन्तर प्रकाशित होते रहते हैं --- आपकी गज़लें 'अक्षर शिल्पी', 'तेजस्वनी', 'शब्द कलश', मुल्क-ए-गज़ल में प्रकाशित होती रहती हैं --- 'लम्हा-लम्हा' शाम गज़ल-संग्रह शीघ्र प्रकाश्य --- फिलहाल प्रशासनिक सहायक हैं।

कभी सर के ऊपर,
कभी पाँव के नीचे।

जीवन में छोटा बड़ा भी होता है।
धर्म का सूर्य छोटा।
आदमी का साया बड़ा,
आदमी का सूर्य बड़ा,
धर्म का साया छोटा।

सूर्य बड़ा हो तो साया गायब
सूर्य नहीं तो साया हाज़िर,
गायब के मानी 'जो है'
'जो है' का मतलब 'गायब'
आदमी या धर्म खुद को समझता है कि 'वह है' मगर –
क्या वह गायब नहीं।

जो गायब है वही 'वो है'
जो है वही 'गायब है' यानि ---
गायब और मौजूद के बीच
आओ !
करें प्रार्थना हम सब मिलकर
भेदभाव से ऊपर उठकर।

सुन्दर हो ये राष्ट्र हमारा,
हरी-भरी हो धरा हमारी,
हम सबका हो इक विराट मन,
सम हो सबका विषम आचान,
सत्यम्-शिवम्-सुन्दरम् जीवन।

31

ज़िंदादिली की बात करें

– भगवानदास जैन*

न आसमाँ की न शम्सो क़मर की बात करें।
ज़मीं की अपने दुखी गाँव-घर की बात करें।
चुनौती दी है हमें वक़्त ने उठो यारो
खुदा गवाह कि अब बालों पर की बात करें।

झटक के गर्दे सफ़र उठिए ज़ख्म मत गिनिए,
दिलों में भर के जुनूँ अब सफर की बात करें।

गुलो समर की अभी से है फ़िक्र बेमानी,
चमन के वास्ते खूने जिगर की बात करें।

ये कोहे तीरगी पिघलेगा मुतमइन हूँ मैं,
मगर ये शर्त है शोलो शरर की बात करें।

---

* **भगवानदास जैन** – गुजरात विश्वविद्यालय से एम. ए. --- हिन्दी साहित्य रत्न (प्रयाग) --- रोशनी की तलाश, आस्था के स्वर (कविता-संग्रह), ज़िंदा है आईना, कटघरे में हूँ, देख नज़ारे नई सदी के, ज़िंदगी के बावजूद (ग़ज़ल-संग्रह) के लेखक --- 'ज़िंदा है आईना' तथा 'कटघरे में हूँ', ग़ज़ल-संग्रह के लिए हिन्दी साहित्य अकादमी, गुजरात, द्वारा प्रथम पुरस्कार से सम्मानित।

करोड़ों भूख के मारों की सोचिए साहिब,
न तख्तो ताज न लालो गुहर की बात करें।
हमें न चर्चे सुहाते हैं ख्वाब गाहों के,
हम अपने मुल्क के ज़ेरोज़बर की बात करें।
नतीजा जो भी हो हासिल सो देखा जाएगा,
खुदारा अब न अगर या मगर की बात करें।

फलक निचोड़ के आबे हयात लाएंगे,
बशर्ते ज़िंदादिली और जिगर की बात करें।

32

भाईचारे की खुशी हो

– गुलशन मदान*

हर कदम पर हर तरफ उल्लास होना चाहिए
भाईचारे की खुशी का वास होना चाहिए।

आरती के शंख में गूंजे अज़ानों की सदा
होलियों में ईद का आभास होना चाहिए।

भाईयों को भाइयों के पास रहना है यहां
मन्दिरों को मस्ज़िदों के पास होना चाहिए।

जो लिखा है खून से उसको मिटा दो आज तुम
प्रेम से लिखा हुआ इतिहास होना चाहिए।

रात ही में खत्म हो जाए यह नफ़रत रात की
हर नया दिन इक नया मधुमास होना चाहिए।

---

* **गुलशन मदान** – आपकी गज़ल, कहानी, दोहा, उपन्यास व बाल साहित्य सहित दस पुस्तकें प्रकाशित --- राष्ट्रीय स्तर की पत्र-पत्रिकाओं एवं महत्वपूर्ण संग्रहों में गज़लें शामिल --- मुम्बई के सुप्रसिद्ध गज़ल गायक भूपेंद्र-मिताली की एलबमों में गज़लें शामिल --- आकाशवाणी व दूरदर्शन केन्द्रों पर गज़लें, वार्ताएँ व साक्षात्कार भी प्रसारित --- लगभग चालीस संस्थाओं द्वारा सम्मानित।

33

मिटा दो नफ़रत की दीवारों को

– डॉ. राजवीर सिंह क्रान्तिकारी*

संत-फकीरों के दर पर होते पर्दे दीवार नहीं।
'गीता-ग्रन्थ-कुरान-बाईबिल' में कोई तकरार नहीं।।

धर्म किया बदनाम पादरी-पण्डे-फतबेबाजों ने।
मासूमों का लहू पिया सत्ता के प्यासे बाजों ने।।

जहां मठाधीशों के गढ़ हैं नफ़रत से तूफ़ान वहीं।।
जहां वोट के सौदागर हैं लड़ते हैं इन्सान वहीं।।

कब तक धर्म कलंकित होगा लहू बहेगा सड़कों पर।।
कब तक कुर्सी की खातिर यह देश बंटेगा सड़कों पर।।

कब तक मोहरे बने रहोगे धर्म के ठेकेदारों के।
कब तक झण्डे लिए फिरोगे अलगावी गद्दारों के।।

---

* **डॉ. राजवीर सिंह क्रान्तिकारी –** अर्थशास्त्र में एम.ए., पी.एच.डी. --- जे. एस. हिन्दू (पी. जी.) कॉलेज, अमरोहा, में कनिष्क प्रवक्ता, वरिष्ठ प्रवक्ता, रीडर, उप-प्राचार्य और प्राचार्य पद से सेवानिवृत्त --- 1977 से निरन्तर मंचीय कवि --- हिन्दी में 13 से अधिक रचनाएँ प्रकाशित, जैसे क्रांति के स्वर, आह्वान, विकल्प, पानी हिन्दुस्तानी, युग निर्माता - I & II सम्राट, निष्कलंक सुभाष, दिल्ली चलो, लोकतंत्र कहाँ?, पानी हिन्दुस्तानी है, क्रान्तिकारी स्वर, आदि।

देश एक, एक हैं हम सब

उठो साथियो तुरत मिटा दो नफ़रत की दीवारों को।
बेनकाब कर सबक सिखा दो देश के ठेकेदारों को।।
हिन्दू-मुस्लिम-सिक्ख एक हैं एक रहेगा हिन्दुस्तान।
कह दो सारी दुनिया से अब नहीं बंटेगा हिन्दुस्तान।।

भुला दिया बलिदान देश ने वीर सुभाष महान का।
इसीलिए........................

34

दिल में इंसान के, प्यार ही प्यार हो

– डॉ. हरिराज सिंह*

कल्पना हम करें, ऐसी दुनिया की अब
चैन से दिन कटें, पुर सुकूं बीते शब

शांति के हों जहाँ, चाँद-सूरज जड़े
सत्य निज पर टिके, प्रेम-पर्वत बड़े

दिल में इंसान के, प्यार ही प्यार हो
भाई-चारा रहे, नारी सत्कार हो

हम बनाएं चलो, ऐसी दुनिया को अब
युद्ध टलता रहे, महरबां यूँ हो रब

हम बनाएँ हँसी, ऐसी दुनिया नई
दूर आतंक हो, हो फिज़ा चम्पई।

---

* **डॉ. हरिराज सिंह –** एम. एस. सी, पीएच. डी. --- शिक्षक एवं वैज्ञानिक --- इलाहाबाद विश्वविद्यालय में प्रोफेसर एवं कुलपति रहे --- कविता, गज़ल, गीत, कहानियां और आलेख लेखन में महारत --- मेरे घोंसले का शिल्प (कविता संग्रह), दूर उस पार (कविता संग्रह), प्रश्न-प्यास (कविता संग्रह), आई हेव नो मिरर (अंग्रेजी कविता संग्रह) के लेखक।

35

आओ मिलकर हम एक बनें

– **पंडित हरिराम द्विवेदी***

जो गीत समय ने गाया है
उसको सुनकर वह धन्य हुआ जिसने उसको अपनाया है
जो गीत समय ने गाया है।

आओ मिलकर हम एक बनें
संकल्प इरादे नेक बनें
सद्‌भाव व समभाव संजोये
सबके लिए विवेक बने
जिसने भी इस भाषा को समझा है मन से दुहराया है
जो गीत समय ने गाया है।

---

* **पंडित हरिराम द्विवेदी –** एम. ए., बी. एड. --- साहित्यिक, सांस्कृतिक एवं कलात्मक अभिरुचि से विभूषित --- लगभग तीन दशक तक आकाशवाणी की प्रसारण-सेवा से सम्बद्ध रहकर सेवा-निवृत्त --- हिन्दी एवं भोजपुरी के स्थापित कवियों में प्रतिष्ठित --- साहित्य अकादमी पुरस्कार सहित देश के अनेक प्रतिष्ठित सम्मान और पुरस्कार से सम्मानित --- हिन्दी एवं भोजपुरी में 15 से अधिक रचनाएँ प्रकाशित --- अपनी लोक-संस्कृति के प्रति निष्ठावान --- राष्ट्रीय एकता एवं साम्प्रदायिक सद्‌भाव के प्रति विशेष समर्पित।

मन से सबका ही मान करें
हर मज़हब का सम्मान करें
विश्वास करें विश्वास भरें
सहयोग समन्वय ध्यान धरें
अनुराग राग ने सबको ही केवल अनुराग सिखाया है
जो गीत समय ने गाया है।

सबकी ही धरती माता है
सबका ही उससे नाता है
है धन्य वही प्राणी जग में
जो सबसे नेह निभाता है
सब अपने सुन्दर सपने हैं कोई भी नहीं पराया है
जो गीत समय ने गाया है।

36

गीत प्यार का गाना होगा

– डॉ. वी.के. वर्मा*

नफ़रत दूर भगाना होगा।
　　गीत प्यार का गाना होगा।।
तमसावृत्त यह काली रजनी
　　होगी दूर, सबेरा होगा।

आज भले ही दुर्दिन का दिन,
　　लेकिन कल तो मेरा होगा।
दु:ख का बादल छाँट-छाँटकर
　　सुख का दिया जलाना होगा।।

गीत प्यार का गाना होगा
　　काँटों का जो सेज बिछा है,

---

* **डॉ. वी.के. वर्मा** – स्नातक, स्नातकोत्तर (समाजशास्त्र), डी.एच.एम.एम., बी.एच.एम., एफ.आर.एच.एस., एम.आई.एच.एन.एस. (यू.एस.ए.) व एम.डी. --- 15 से अधिक रचनाएँ प्रकाशित --- अनेक देश-विदेश के शैक्षिक, चिकित्सा-संबंधी, साहित्यिक, सामाजिक एवं सांस्कृतिक संस्थाओं में सक्रिय रूप में जुड़ाव --- देश-विदेश की शताधिक संस्थाओं द्वारा सम्मानित --- अनेक प्रतिष्ठित सम्मान, पुरस्कार तथा मानद उपाधियाँ प्राप्त।

उस पर आओ फूल बिछाएँ,
    कुंठा और निराशा को तज,
नाचें गायें खुशी मनाएँ।
    सुधि-बुधि खोकर जो सोये हैं,
उसको आज जगाना होगा।
    गीत प्यार का गाना होगा।।

37

अपने वतन को प्यार का गुलशन बनाइये

– हरीश चंद्र सक्सेना 'मुहसिन'*

अपने वतन को प्यार का गुलशन बनाइये ।
आपस के भेदभाव को जड़ से मिटाइये ।।

दुखियों को पीड़ितों को गले से लगाइये।
सबके हृदय में प्रेम का दीपक जलाइये ।।

सेवा से बढ़ के धर्म नहीं इस जहान में।
ये नेक बात आप सभी को बताइये ।।

गीता, कुरान, बाइबिल से सीख ये मिली।
हरगिज़ नहीं किसी का कभी दिल दुखाइये ।।

रस्ते अलग अलग सही मंजिल तो एक है।
झगड़े, विवाद तअस्सुबी दिल से मिटाइये ।।

---

* **हरीश चन्द्र सक्सेना** – 'गज़ल की छाँव में', 'आइना मुस्कुरा उठा', 'इन्द्र धनुष' आदि कृतियों के लेखक --- 'पारथ प्रेम समिति' उरई (जालौन) द्वारा 'गोहरे ताबाँ' की मानद उपाधियाँ प्राप्त।

सुनकर के राष्ट्र-एकता के भाव जग उठें।
ऐसा वो देश प्रेम भरा गीत गाइये ।।
जनता के दुख-औ-दर्द की चिन्ता नहीं जिसे।
'मुहसिन' उसे न देश का नेता बनाइये ।।

38

धर्म के सद्भाव को बचायें

– डॉ. मिथिलेश कुमारी शुक्ल*

विश्व ने देखा, मसीहा शूल पर चढ़ते हुए।
शूल से भी फूल मानव प्रेम को झरते हुए।।
समय बीता, अरब का मरुस्थल महक से भर गया।
एक पैगम्बर जगत में भाई–चारा भर गया।।

जेन्द अवेस्ता हो कि बाइबिल, वेद हों या कि कुरान।
मनुजता के पुष्प हैं सब, सत्य के रमते हैं प्राण।।
रक्त से भींगता हुआ इतिहास, नर ढ़ोता रहा।
धर्म ही है जो धरा पर शान्ति को बोता रहा।।

---

* **डॉ. मिथिलेश कुमारी शुक्ल –** एम.ए., पीएच.डी, --- विजिटिंग प्रोफेसर, जे.आर.एच. विश्वविद्यालय, चित्रकूट (उ.प्र.) --- कुम्भकर्ण (खण्ड काव्य), प्रभा को फैलने दो (मुक्तानुबन्ध) एवम् नए प्रश्न नचिकेता के (गीत संग्रह) ये रचनाएँ प्रकाशित --- 'विद्या वारिधि', हिन्दी साहित्य सम्मेलन, इलाहाबाद से 'साहित्य शिरोमणि', अखिल भारतीय हिन्दी सेवी संस्थान, इलाहाबाद से 'श्रेष्ठ साधना सम्मान' आदि पुरस्कारों से सम्मानित --- अनेक पत्र–पत्रिकाओं में समय–समय प्रकाशित --- आकाशवाणी (इलाहाबाद) से कविताओं का प्रसारण --- अध्यक्ष, शक्ति–भारती (नारी कल्याण संस्थान), इलाहाबाद --- उपाध्यक्ष, यूनिवेर्सिटी ऑफ द थर्ड ऐज ग्रूप, इलाहाबाद शाखा।

भेद के गह्वर बनाने को जगत नर बांटता।
धर्म है जो विश्व को सद्‌भावना से पाटता।।
पूर्व हो अथवा कि पश्चिम मध्य हो अथवा कि और।
एक मज़हब है कि जिसके नेह से वंचित न ठोर।।

नाम कुछ भी हों पृथक हों रास्ते सब के भले।
धर्म से ही विश्व-बान्धव का विटप फूले फले।।
राम का संदेश था जो 'विश्व मेरा धाम है'।
जगत का तृण और कण-कण ही चिरन्तन राम है।।

वही संदेश गुंजित कर रहीं अभिनव अज़ानें।
राज्य है प्रभु का जगत में, बाइबिल ऐसा बखाने।।
भेद मज़हब में नहीं बस है हमारी फितरतों में।
राजनीतिक छद्म में है, दम्भकारी हरकतों में।।

आ रहा जो मुस्कुराता, लोभ सत्ता को संजोये।
रुदन देने के लिए, विध्वंस की आंधी पिरोये।।
वन्हि के आक्रोश में जो दे रहा पागल हवायें।
धर्म के सद्‌भाव को शैतान से पल-पल बचायें।।
विश्व में निश्चित सुमन विश्रांति के खिलने लगेंगे।
भाई-चारा औ अमन के स्रोत फिर झरने लगेंगे।।

39

एक दिन तो दोस्तों में बैठ

– **मनोहर विजय***

सब मुकदस होते जाते हैं अदावत छोड़कर
आर करें हम भी मुहब्बत अन सियासत छोड़कर

नूर थे कल आज हैं हम राक अंधी राह के
हश्र होना था यही उसकी इबादत छोड़कर

यह कुदरत के फ़साने नफ़रतों की दास्तां
परु रहे हो क्यूं फकीरों की इबारत छोड़कर

कर गई हैं ये बहारें साजिशें फिर एक बार
हम गए थे अपने गुलशन को सलामत छोड़कर

मान जाएगा मुसलसल इल्तिजाओं से कोई
प्यार जो पाना है तो बैठो न हिम्मत छोड़कर

देखते हैं खंज़रों को वो कभी तीरों को अब
वो लगायेंगे गले किसको मुहब्बत छोड़कर

एक दिन तो दोस्तों में बैठ आकर ए 'विजय'
रोज़ के शिकवे, शिकायत की ये आदत छोड़कर

---

* **मनोहर विजय** – एम.ए., बीएलआइएस --- मिनिस्ट्री ऑफ लेबर एंड इंप्लायमेंट, लुधियाना, से जुड़े --- अनेक कविताओं के लेखक।

40

मुकम्मल इंसा जज़्बातों से बनता

– **डॉ. प्रभा दीक्षित***

आज मुझे पूजा करना भी एक पाप सा लगता है
मेरी पूजा के दीपक से मेरा ही घर जलता है।
ये कैसा है धर्म आदमी हत्यारा बन जाता है
बाबर से नफ़रत की खातिर कादिर का घर जलता है।

मन्दिर–मस्ज़िद कहो हमारे जीवन को क्या देते हैं
अल्ला ईश्वर सिर्फ आदमी के दिमाग में पलता है।
गुजराती दंगे में महिलाओं, बच्चों का कत्ल हुआ
कौन दरिन्दा यहां आदमी के विवेक को छलता है।

आज हमारी नस्ल हमारे जाहिलपन पर रोती है
राम–रहीम अगर होते तो इनको भी ये खलता है।

---

* **डॉ. प्रभा दीक्षित –** अधूरी कविता (कविता संग्रह), रोशनी की इबारतें (गज़ल संग्रह), मुक्तिबोध व नागार्जुन का काव्य-दर्शन, गूंगी कलम का बयान (स्त्री-विमर्श) लेख संग्रह, स्त्री अस्मिता के सवाल (स्त्री-विमर्श) लेख संग्रह, साझी उड़ान (कविता संग्रह) आदि कृतियाँ प्रकाशित --- हिन्दी साहित्य सम्मेलन प्रयाग द्वारा 'प्रज्ञा भारतीय', हिन्दी साहित्य सम्मेलन वाराणसी द्वारा 'नज़ीर बनारसी', वृहस्पति महिला महाविद्यालय द्वारा 'गरिमा भारती' व 'विद्या वाचस्त्पति', वृहस्पति संस्थान कानपुर द्वारा 'रजत पदक' आदि पुरस्कार और सम्मान से विभूषित --- संम्प्रति, विभागाध्यक्ष, हिन्दी, वृहस्पति महिला महाविद्यालय, कानपुर।

देश एक, एक हैं हम सब

ईश्वर अल्ला के बंदो ये राजनीति की माया है
अल्पमतों की बरबादी से किसका शासन चलता है।

दुनिया में दो ही तबके हैं मुफ़लिस साकार यहां
मुफ़लिस का ये ही नसीब है सदा भूख से मरता है।

अपनी रोटी अपने हक के लिये न तुम कुछ पर पाओ
नाजीवाद हमेशा इस जीवन-दर्शन पर चलता है।

मन के मंदिर तन की मस्ज़िद ज़ेहन के गिरिजाघर में
एक मुकम्मल इंसा केवल जज़्बातों से बनता है।

41

हम एक रहेंगे

– रऊफ परवेज*

हम एक हैं हम एक हैं हम एक रहेंगे
भारत की हैं सन्तान ज़माने से कहेंगे
अपनी ही ज़मीं पर ये फ़सादात के लश्कर
ये ज़ोरो सितम हम नहीं अब और सहेंगे

सद्भाव हो क़ौमों में ये आवाज़ है मेरी
हम एक रहेंगे तो सितमगर भी डरेंगे
हर क़ौम ने सींचा है जिसे अपने लहू से
उस बाग के हर फूल की हम रक्षा करेंगे

आतंक के हर मोर्चे पर होंगे मुकाबिल
हम सर पे कफ़न बांध के हिम्मत से बढ़ेंगे
हो अज़्म हमारा कि न बिखरेंगे कभी हम

---

* **रऊफ़ परवेज़ –** एम.ए., एल.एल.बी., रायपुर से --- वकालत के साथ-साथ साहित्य सृजन में लगे रहे --- 'ककौसे कुजह', शेरी दीवान उर्दू अकादमी, म.प्र., भोपाल से एवं 'शीशों के दरीचे', विश्व भारती प्रकाशन, नागपुर, से प्रकाशित --- रेडियो, टी.वी. का रजिस्टर्ड शायर व कलाकार।

देश एक, एक हैं हम सब

मज़बूत इरादे लिये हम रण पे अड़ेंगे
है शाने वतन नज़्मे चमन सारा हमीं से

इज़्ज़त से जियेंगे यहां इज़्ज़त से मरेंगे
परवेज़ उदरे देखो करीब आ गी मंज़िल
हम ले के तिरंगा चलो तेजी से बढ़ेंगे

42

इन्सानों का इन्सानों से मेल हो

– **साहिल***

नमाज़ क्या है --- पूजा क्या है --- पंडित जाने --- मुल्ला जाने
पूछा क्या --- बतलाया क्या है --- पंडित जाने --- मुल्ला जाने

इन्सानों का इन्सानों से मेल नहीं जो होने देते
दो काशी --- दो काबा क्या है --- पंडित जाने --- मुल्ला जाने

राम रहीम तो रोज़-रोज़ गले से मिल लेते हैं खुल्लमखुल्ला
अपने बीच तो पर्दा क्या है --- पंडित जाने --- मुल्ला जाने
अंसुवन से छलकाई आंखों में गर हमने सपने बोये
तो मज़हब को पीड़ा क्या है --- पंडित जाने --- मुल्ला जाने

इन्सानों के साथ किया व्यवहार अगर इन्सानों सा
बोले इसमें बुरा क्या है --- पंडित जाने --- मुल्ला जाने

मन को सुश्रूं जो दे ना पाये --- ना भूले की राह दिखाये
जो मज़हब का होना क्या है --- पंडित जाने -- मुल्ला जाने

वो भी इन्सां --- हम भी इन्सां -- एक से हम दोनों के सपने
तो 'साहिल' ये झगड़ा क्या है --- पंडित जाने ---मुल्ला जाने

* **साहिल** – 1961-62 से गुजराती में और 1971-72 से हिन्दी में साहित्य सृजन में लगे --- मातृभाषा गुजराती में गज़ल-संग्रह 'शतक पत्ता एफ' प्रकाशित --- हिन्दी व गुजराती में गज़ल संग्रह के लेखक।

43

नियंता है केवल एक

– **धर्मशील चतुर्वेदी***

पीत, लोहित, गोरे ताम्रवर्णी
असीम अगम्य भुवन में
यत्र तत्र जाने कब से स्थित।

अपनी है सबकी धुरी
अपनी-अपनी गति, चाल, लय
चींटी सा कोई, कोई महाकाय
सबका दायरा अपना
जीवन अलग
अपने सूर्य अपने चांद
और अपना आकाश।

फिर भी सन्तुलित, समभाव
न दुराव न टकराव

---

* **धर्मशील चतुर्वेदी** – काशी हिन्दू विश्वविद्यालय से एम.ए., एल.एलबी. और पी.डिप. --- महात्मा गांधी काशी विद्यापीठ से एम.ए. (समाजशास्त्र) --- गोरखपुर विश्वविद्यालय से बी.एड. --- देश के प्रमुख राष्ट्रीय दैनिक पत्रों में स्तम्भ लेखन, लेख, कहानियाँ, कवितायें, अग्रलेख 1954 से --- आकाशवाणी से हास्यवार्तायें 1990 से --- टी.वी. चैनलों से विविध विषयों, घटनाओं, मान्यताओं, विवादों पर साक्षात्कार --- पुस्तकों का सम्पादन।

अनेक! कहां है
इस प्रियतम और अनन्त तालमेल का
जो है कारण
वही तो है हमारी आस्था
और हमारा, हमारा, हमारा विश्वास।
'सनातनधर्मी, क्रिस्तानी, इस्लामी
या हर ईश्वरवादी का।
वही तो है
अर वह एक ही है।
अनेकधर्मी नहीं।
हो चाहे जितना रक्तपात
टकराव या विखण्डन
अज्ञानजनित तनाव
लेकिन अनुभूतियों की गहराई से
कभी तो उठेगी आवाज़
ब्रह्माण्ड के महासन्तुलन
कारण है एक
नियंता है केवल एक
जहाँ है हमारी आस्था
वहीं है हमारा विश्वास
कैसी अनेकता कैसा अविश्वास
कभी पाखंड और ढोंग होगा तार-तार
हमें है भरोसा
हमें है विश्वास

44

एक दूजे की छांव में

– डॉ. स्वेदश कुमार भटनागर*

एक मौसम सेवइयों का,
एक मौसम छोलों का,
एक मौसम मालपुओं का,
एक मौसम पेस्ट्री का,
डाइनिंग टेबल पर रख दो

चारों दिशाओं से पेड़ आयेंगे,
मिल जुलकर बस्तियों के साथ खायेंगे,
एक दूजे की छांव में सो जायेंगे।

हिरन चौपाल में हुक्का गुड़गुड़ाते हैं,
बकरियां दूध बच्चों को पिलाती हैं,
धूप कुएं से पानी लेकर आ रही है
घर लीपना है उसे

---

* **डॉ. स्वदेश कुमार भटनागर** – एम.ए. (हिन्दी, दर्शनशास्त्र) और पीएच.डी. (दर्शनशास्त्र) --- देश की प्रतिष्ठित पत्र-पत्रिकाओं में और अनेक गज़ल संग्रहों में रचनाएँ प्रकाशित --- 'लम्हा-लम्हा शाम' गज़ल संग्रह के लेखक।

देश एक, एक हैं हम सब

जॉन, राम, रहीम कंचे खेल रहे हैं
नीम की छाँव तले,
हर घर---छप्पर से एक ऑरा-सा उठता है,
उस दिन---
चलते-चलते जब धरती थक गयी,
पांव दुखने लगे, सूजन आ गयी

फूल ने खुशबुओं वाला क्रास,
मन्दिर ने तुलसी---दल,
कुटिया ने अमृत---बूंद
हरे-रंग ने एक आयत,
धरती के माथे पर क्रमशः रख दी

धरती स्वस्थ हो गयी,
धरती सूफी हो गयी,
धरती भजन हो गयी

पीपल के पत्ते अब जर्द नहीं होते,
मौसम अब पीला नहीं होता,
और---पानी जहरीला, आकाश हिंसित,
किरनों से अमन फूटता है, और
मौहब्बत, जहनों से
हरसू एक खुशबू का मरासिम है
एक कोंपल ने मुस्कराकर कहा,
"प्यार सृष्टि का मूल धर्म है"

45

हिन्दुस्तान गुलों भरा गुलदान

– रमेश चन्द्र गोयल 'प्रसून'*

वह उमड़े अरमान बताता फिरता है
हैं दिल में तूफान बताता फिरता है।

सच वह सीना तान बताता फिरता है
खुद को हिंदुस्तान बताता फिरता है।

अब तक हम पहचान नहीं पाए उसको
इसीलिये पहचान बताता फिरता है।

वह क्रान्ति की और शान्ति की धरती की
अपने को सन्तान बताता फिरता है।

गौरव को, गरिमा को अपनी संस्कृति को
वह अपना सामान बताता फिरता है।

---

* **रमेश चन्द्र गोयल 'प्रसून'** – एम.ए. (अर्थशास्त्र) --- पश्चिमांचल विद्युत वितरण निगम लि. से सेवानिवृत्त --- प्रकाशित साहित्य अनेक पत्र-पत्रिकाओं एवं सामूहिक संकलनों में विभिन्न विधाओं में गद्य-पद्य रचनायें प्रकाशित --- नव गज़ल संग्रह 'इस शहर में' प्रकाशित।

राणा-शिवा, भगत-शेखर को, बिस्मिल को
आन-बान-सम्मान बताता फिरता है।

वह सुभाष, गांधी-पटेल को, नेहरू को
अपना स्वाभिमान बताता फिरता है।

हिंदू-मुस्लिम, सिक्ख-ईसाई सबको वह
गुलों भरा गुलदान बताता फिरता है।

हम उन पर क्यों फेंक नहीं पाते पत्थर
वह जिनको शैतान बताता फिरता है।

वीर जवान, शहीदों और तिरंगे को
अपनी ऊंची शान बताता फिरता है।

वन्दे मातरम्-जन-गण-मन के गायन को
वह हृदय का गान बताता फिरता है।

46

धरम से पहले 'वतन' होना चाहिए

– अलीहसन मकरैंडिया*

भारत था विश्व गुरु, करें बतलाना शुरू,
खोया हुआ गौरव दोबारा दिलवाइए!
कट जाएं सर पर झुकने न देंगे कभी,
ऐसे स्वाभिमान के विचारों को जगाइए!
चाहे किसी कोने में बसे हों आप भारत के,
आज सभी भारतीय बन के दिखाइए!
सभी के दिलों में देश-प्रेम सच्चा जाग जाए,
'भारत माता' का अब जयकार लगाइए! (1)

धन न रतन माँगू, धरा न गगन माँगू,
किन्तु भ्रष्ट कामों का, शमन होना चाहिए!
श्रमिकों की शान माँगू, संतों का सम्मान माँगू,

---

* **अलीहसन मकरैंडिया –** एम.ए. हिन्दी --- विद्युत विभाग, एनटीपीसी-दादरी, गाजियाबाद, उ.प्र., में कार्य --- संयोजक, अखिल भारतीय कवि सम्मेलन --- राष्ट्रीय स्तर के लगभग दो दर्जन प्रतिष्ठित सम्मानों से सम्मानित --- विशेष ओजस्वी कवि के रूप में 600 से अधिक अखिल भारतीय कवि सम्मेलनों में सफल भागीदारी।

माँगता शहीदों को, नमन होना चाहिए!
मानव का मन मिले, सुमन सुगंध खिले,
'हसन' का मन भी, चमन होना चाहिए!
धरम है सब ठीक, निज विधि पूजा करो,
धरम से पहले 'वतन' होना चाहिए! (2)

सब जन हों सुरक्षित मान व सम्मान भी,
मर्यादा में हर देश अब रहना चाहिए!
शिवजी का नेत्र अब तीसरा ही खुल जाए,
जुल्म औ' सितम अब नहीं सहना चाहिए!
अराजकता का नृत्य चारों ओर हो रहा जो,
वाणी को बुलन्द होके अब कहना चाहिए!
आतंकियों ने बहाया मासूमों का जो है खून,
भारत में अब और नहीं बहना चाहिए! (3)

जैसे देश भक्ति में है स्वाभिमान-सम्मान,
मेरे मन में ही गीता-बाईबिल-कुरान हैं!
न मैं गया हरिद्वार, न प्रयाग, न ही काशी,
देवता समस्त दिल में ही विद्यमान है!
गुरुद्वारा, मन्दिर व मस्ज़िद, गिरजाघर,
इन से भी ऊँचा ये हमारा हिन्दुस्तान है!
शहीदों के जय-गान, वेद-व्याख्यान जैसे,
उनके लहू से शुद्ध भारत महान है! (4)

घृणा-द्वेष, भेद-भाव, भूलकर गले मिले,
प्यार के रंगों में एक बार रंग जाइए!
गम से भरी अँखियों के आँसुओं को पोंछना,

जो गिरे हैं ज़मीर से उनको उठाइए!
घृणा के जो भाव कभी, आएँ हो तुम्हारे मन,
इस बार होलिका में उनको जलाइए!
'देश-प्रेम', 'एकता' की बात करता 'हसन',
मज़हबी दीवारों को बीच से गिराइए! (5)

देती है 'कुरान'-ज्ञान, प्यार-सद्‌भावना का,
चारों ओर शुभ परिवेश रहना चाहिए!
मज़लूमों-गरीबों के प्रति सेवा-भाव रहे,
'बाइबिल' का यह संदेश रहना चाहिए!
मरने से डरना क्या, नहीं मरती आत्मा है,
दिलों में 'गीता' का उपदेश रहना चाहिए!
जो उठें निगाहें बुरी देश पर, फोड़ना हैं,
हम रहे या न रहें, देश रहना चाहिए! (6)

47

खून इन्सान का बहाया न करो

– दिलीप सिंह 'दीपक'*

पाक रिश्तों को सियासत में जलाया न करो
आग अपने ही घरौदों में लगाया न करो
रोज कोशिश ये करो आदमी इन्सान बने
किसी इन्सान को शैतान बनाया न करो
जिन मुहब्बत के चिरागों से है रोशन दुनिया
उनको नफ़रत की हवाओं, से बुझाया न करो

जो भी आवाज़ गरीबों के दिलों से निकले
उसको तुम अपनी जफ़ाओं से दबाया न करो

उनकी कब्रों पे उगी घास रुलाती हैं उन्हें
तुम शहीदों की शहादत को भुलाया न करो

---

* **दिलीप सिंह 'दीपक'** – बी.एससी. (जीवन विज्ञान), एम.ए. (इतिहास), बी.एड. --- प्रकाशन राष्ट्रीय स्तर की पत्र-पत्रिकाओं में कवितायें, गज़लें, लघुकथायें प्रकाशित, गज़ल संग्रह --- 'फिज़ा की कोख से' 2010 में प्रकाशित --- आकाशवाणी, जोधपुर, से कविताओं का प्रसारण --- राजेश्वरी प्रकाशन, गुना, म.प्र., से 'साहित्य श्री' पुरस्कार से सम्मानित --- मंडल-स्तरीय शिक्षक पुरस्कार भी प्राप्त --- राष्ट्रीय स्तर के कवि सम्मेलनों एवं मुशायरों में शिरकत करते।

देश एक, एक हैं हम सब

इक कहानी जो मुहब्बत की लिखी है मैंने
उसको नफ़रत की सफेदी से मिटाया न करो

इसकी कीमत को न समझोगे तो पछताओगे
खून इन्सान का पानी सा बहाया न करो।

48

आओ हम सब साथ रहें

– अमरेन्द्र कुमार मिश्र*

सब धर्मों का आदर करके
आओ हम सब साथ रहें।
कभी किसी को दुःख न देकर
अपनापन आभास करें।।
करके खत्म रूढ़ि-जगती से
मानव धर्म प्रचार करें।
भूख-प्यास एक से सबमें
क्यों झूठे बकवास करें।।

पावन धरती शुद्ध हवा
सुविचारों का अभ्यास करें।
अभ्यास करें सुविचारों का
सद्कर्मों का सुप्रयास करें।।

---

* **श्री अमरेन्द्र कुमार मिश्र –** शिक्षाशास्त्र में एम. ए. तथा दर्शनशास्त्र में एम. ए. --- पर्यटन एवं हिन्दी साहित्य में विशेष अभिरुचि --- उपन्यास 'प्यासी नदी और डूबते पल' व 'शीतल ज्वाला' --- नाटक संग्रह 'जीवन का मेला' व 'कलियुग' --- कहानी संग्रह 'आखरी रास्ता' व' मरीचिका' --- व्यंग कथा संग्रह 'आस्तिक चार्वाक' --- काव्यसंग्रह 'काव्य मंदाकनी' --- संप्रतिः आकाशवाणी, नयी दिल्ली, में कम्पेयर पद पर कार्यरत।

देश एक, एक हैं हम सब

सत्य अहिंसा मूल मंत्र से
जीवन का अभिषेक करें।
जीव-जीव के लिये प्रेम
करुणा के भाव नेक धरें।।

सब में एक, एक में सब है
इसमें हम विश्वास करें।
फिर धरती स्वर्ग समान बने
देवत्व जीवन में वास करें।।

49

नज़र से नज़र मिला कर देखो

– प्रकाश 'सूना'*

नज़र से नज़र तुम मिला कर तो देखो,
कि नखरे किसी के उठा कर तो देखो।

बहुत खूबसूरत है ये जिन्दगी,
मुहब्बत का रिश्ता निभा कर तो देखो।

चलो मैंने माना कि मैं बेवफ़ा हूँ
कभी मेरे दिल में भी आकर तो देखो।

जो नफ़रत करोगे न पाओगे कुछ भी,
मुहब्बत में हस्ती मिटा कर तो देखो।

यकीनन मिलेगा सुकूं आपको भी,
कि भूखे को रोटी खिला कर तो देखो।
ये मन्दिर, ये मस्ज़िद अलग तो नहीं हैं,
नज़र से नज़र को मिला कर देखो।

बदल जाएगा 'सूना' अंदाज हर एक,
जरा गैर अपना बना कर तो देखो

---

* **प्रकाश 'सूना'** – गीत, गज़ल, लघु कथा, आदि लेखन-विधाओं में प्रवीण --- 'पुण्य पर्वा' (गीत संग्रह) प्रकाशित --- अनेकों साहित्यिक संस्थाओं द्वारा सम्मानित।

50

मेरा वतन

– डॉ. विनय कुमार*

ये मेरा वतन
ये मेरा वतन
एक महका चमन
एक खिलता चमन
ये मेरा वतन...

खूशबू है यहाँ हमदर्दी की
रंग है यहाँ जज़्बातों की
कोई गैर नहीं है इस दर पर
ये मेरा वतन...

कितने मज़हब कितनी रस्में
फिर भी लगते हैं सब अपने
ऐसा सुन्दर किसका आँगन
ये मेरा वतन...

---

* **डॉ. विनय कुमार** – एम.बी.बी.एस., डी.सी.एच., एम.डी. (पैथोलॉजी) --- दिल्ली विश्वविद्यालय से संबद्ध --- 'फासले', 'कभी-कभी', 'नज़्में', 'साथिया', 'अंतरजीवन के साक्ष्य', आदि प्रकाशित रचनाएँ।

चेहरे खिलते फूलों जैसे
चंचल बचपन हंसता यौवन
कहाँ पाओगे शोख नज़र
ये मेरा वतन...
सब आएँ यहाँ धरती पर
सब पाकर भी खोए से हैं जो
मिलता है उन्हें फिर नवजीवन
ये मेरा वतन...

ये मेरा वतन
एक महका चमन
एक खिलता चमन
ये मेरा वतन...

51

सबको एक ईमान दे

– आचार्य मुकेश श्रीवास्तव 'मुकेश'*

ये हमारे इष्ट हमको बस यही वरदान दे।
ज्ञान दे, विज्ञान दे, तू मान दे, सम्मान दे।।

हिन्दू हो, या हो मुसलमाँ, सबको एक ईमान दे।
सिक्ख हो, या हो ईसाई, सबको इतना ज्ञान दे।।

प्रेम मिट्टी से करें, प्रकृति को सम्मान दे।
राष्ट्र-भक्ति दे हमें, असहाय को मुस्कान दे।।

बाइबिल, गुरुग्रन्थ, गीता की ही वाणी बोलें हम।
घर-घर में ही रामायण दे, हर घर में ही कुरआन दे।।

---

* **आचार्य मुकेश श्रीवास्तव 'मुकेश'** – सम्पादक, अमृतसर हिन्दी समाचार पत्र --- स्तम्भ लेखन राष्ट्रीय सहारा एवं देश की प्रतिष्ठित पत्र-पत्रिकाओं में छपते रहते --- आकाशवाणी दूरदर्शन के लिए फीचर, नाटक, आदि का लेखन --- अखिल भारतीय कवि सम्मेलनों और मुशायरों में विगत 15 वर्षों से निरन्तर भागीदारी --- चनवो मांगे भीख, भोजपुरी काव्य संग्रह, चुनौटी भर धाम, आदि कृतियाँ प्रकाशित --- उ.प्र. हिन्दी संस्थान द्वारा वर्ष 1999 में प्रतिष्ठित राहुल सांस्कृत्यायन पुरस्कार के अलावा देश के कई सामाजिक साहित्यिक एवं सांस्कृतिक संस्थाओं द्वारा सम्मानित --- संप्रति, पत्रकारिता में लगे।

भेद-भारत से मिटा दे, ज्ञान की गंगा बहा दे।
सहृदय होवें सभी, इन्सानियत को शान दे।।
आग की लपटों से जो, दूषित है यह वातावरण।
हम बुझा दें इसको, हमको इक नहीं सौ जान दे।।

अपने जीवन को न्यौछावर, कर दे मानव धर्म पर।
गर हमारे दिल को दे, तो बस यही अरमान दे।।

शक्तियों की यह नुमाइश, खून, चीखें कब तलक।
सरहदों पर अमन का, अब शामियाना तान दे।।

पंगु गिरवर लांघता, मूक वेद उचारता।
कवि हृदय को हमारे, राम दे, रहमान दे।।

52

हिन्दुस्तान एक है

– डॉ. रामनिवास 'मानव'*

एक मिट्‌टी, वायु, पानी, आसमान एक है।
हों अलग प्रदेश चाहे, हिन्दुस्तान एक है।
धर्म, जाति, वर्ग के ये भेद सारे व्यर्थ हैं,
भिन्न हों रंग-रूप सब, पर इन्सान एक है।

सुख-दुःख एक, सांझे तीज औ' त्योहार सबके,
है राग और फाग एक, रक्त-प्राण एक है।
एक ध्वज, एक संसद, एक न्यायपालिका है,
एक रीति, एक नीति, और संविधान एक है।

भिन्न हों सभी के पूजा के तरीके चाहे,
ईमान है सभी का एक, भगवान एक है।

---

* **डॉ. रामनिवास 'मानव'** – हिन्दी में एम. ए., पीएच. डी. तथा डी. लिट् --- हरियाणवी साहित्य के प्रथम शोधार्थी तथा अधिकारी विद्वान --- विभिन्न विधाओं की कुल 35 से अधिक कृतियाँ प्रकाशित --- देश-विदेश की अनेक प्रमुख भाषाओं में विविध रचनाओं का अनुवाद --- एम. फिल. तथा पी-एच. डी. के सत्तर से भी अधिक शोध छात्र-छात्राओं का कुशल निर्देशन --- देश-विदेश की शताधिक संस्थाओं द्वारा सम्मानित --- अनेक प्रतिष्ठित सम्मान, पुरस्कार तथा मानद उपाधियाँ प्राप्त।

प्यार और सहकार का उपदेश है सभी का
बाइबिल, ग्रन्थसाहब, गीता, कुरान एक है।

एक कृति, एक वृत्ति, सभी की संस्कृति एक है,
रोटी-बेटी सांझी है, आन-बान एक है।
एक जुट होकर बढ़ें आज सभी देशवासी,
एक मार्ग, एक मंजिल, ध्येय समान एक है।

53

यह मिट्टी महान है

– युनूस अंसारी*

जीना मरना इस मिट्टी में ये मिट्टी महान है
बलिदानों से हमने सजाया ये अपनी पहचान है।

हिन्दू, मुस्लिम, सिख, ईसाई
आपस में सब भाई भाई
प्रेम प्यार के फूल खिलाओ
बापू का अरमान है
ये मिट्टी महान है।

ऊँचा रहे बस अपना झंडा
वीरों का बस यही सपना
भारत माता माँ है हमारी
हम इसकी सन्तान हैं
ये मिट्टी महान है।

---

* **युनूस अंसारी** – कतिपय रचनाएँ प्रदेश की पत्र-पत्रिकाओं में प्रकाशित --- विशेष मुशायरों एवं कवि सम्मेलनों में शिरकत।

इस धरती के लाल अड़े हैं
दुश्मन से क्या खूब लड़े हैं
सरहद पर मरते हैं बेटे
यह भारत की आन है
ये मिट्‌टी महान है।

कैसी थी उनकी कुर्बानी
दुश्मन से कभी हार न मानी
कहती थी झाँसी की रानी
ये मिट्‌टी मेरी जान है
ये मिट्‌टी महान है।

याद शहीदों की जब आए
उस दिन अँखियाँ नीर बहाये
मेरा चोला रंग दे बंसती
'युनूस' का अरमान है
ये मिट्‌टी महान है, ये मिट्‌टी महान है।

54

हरेक चौराहे पर प्यार का दीपक जलाना है

– डेनिस अजमेरी*

शहीदों ने, वतन ने, इसकी खातिर खूँ बहाया है।
कोई लटका है फांसी पर, किसी ने सर कटाया है।।
सभी कौमों के लोगों ने लहू अपना बहाया है।
बड़ी कुरबानियाँ दे कर के यह भारत बनाया है।।

मुकाम इसका अलग है, शान इसकी बहुत आला है।
जहां के सारे मुल्कों से, वतन अपना निराला है।।
यहां गिरजा भी है, मस्ज़िद भी है, यहां पर शिवाला है।
जहे किस्मत के हमने हिन्द जैसा मुल्क पाया है।।

मगर कुछ ऐसे भी नादान यहां पर पाये जाते हैं।
लहू अपने ही, हम वतनों का, जो के बहाये जाते हैं।।

---

* **डेनिस अजमेरी –** डेनिस अजमेरी के नाम से जाने जाते --- असली नाम फ्रांसिस विलिंग्टन फिलिप्स --- जयपुर यूनिवर्सिटी से उर्दू में स्नातकोत्तर --- कव्वाल --- उर्दू और हिन्दी के जाने-माने कवि --- मैथोडिस्ट चर्च में पास्टर।

इक ऐसे देश में नफ़रत को ये फैलाये जाते हैं।
सबक जिसने मुहब्बत का जमाने को पढ़ाया है।।

हमें यह आपसी झगड़े और नफ़रत को मिटाना है।
हरेक चौराहे पर इक प्यार का दीपक जलाना है।।
यही पैगाम उल्फत का हमें हर जगह फैलाना है।
यही मुद्दा मुकद्दस बाइबिल ने भी सुनाया है।।

55

आओ हम इन्सान बनें

– जाहिद शाह जाहिद*

सबसे अच्छा सबसे प्यारा अपना हिन्दुस्तान बने
इन्सानी फ़ितरत कहती है आओ हम इन्सान बनें

आओ सबक लें राम–कृष्ण की गुरु नानक की बातों से
अमन की राह पर लायें खुद को प्यार की इन सौगातों से
सीता की असमत न लुटे अब मरियम की भी लाज रहे
माँ–बहनों के सर पर कायम मर्यादा का ताज रहे।

आओ कहानी बनने न दें गीता को रामायण को
नष्ट है कैसे करना सीखें दिल में बैठे रावण को
शैतानी दलदल से निकलें इन्सा की पहचान बने
इन्सानी फ़ितरत कहती है आओ हम इन्सान बनें।

मातृ भूमि का कर्ज चुका दो अपने लहू के धारों से
देश को फिर आज़ाद कर दो देश के इन गद्दारों से

---

* **जाहिद शाह जाहिद –** कतिपय रचनाएँ प्रदेश की पत्र–पत्रिकाओं में प्रकाशित --- विशेष मुशायरों एवं कवि सम्मेलनों में शिरकत।

आज़ादी जो हमने पाई गांधी के उपकारों से
नष्ट न होने देंगे इसको आपस की तकरारों से।

अपने आँगन में नफ़रत की खड़ी न अब दीवार करो
एक ही है सब हिंदू-मुस्लिम तो आपस में प्यार करो
यही एकता इस दुनिया में अपने देश की शान बने
इन्सानी फितरत कहती है आओ हम इन्सान बनें।

56

तंग-दिली से निकल मैं आसमाँ छू लूँ

– डॉ. सुनील कुमार अग्रवाल*

लोकवाणी के कथन को ढूँढ़ रहा हूँ
गणतंत्र में गण की लगन को ढूँढ़ रहा हूँ।

भगवान राम जिसके हैं आदर्श प्रणेता
मैं लोक मर्यादित वो वतन ढूँढ़ रहा हूँ।

इन्सान के पहलू में जो भगवान बिठा दे
मैं वो अज़ान और भजन ढूँढ़ रहा हूँ।
हर शै में ही हरदम रहे बस प्यार का पहरा
मैं मेल-मोहब्बत का चलन ढूँढ़ रहा हूँ।

---

* **डॉ. सुनील कुमार अग्रवाल** – साहित्यिक अवदान --- दो काव्य संकलन 'अंकुर' एवं 'वृक्षमित्र' प्रकाशित, कविता, गीत, गज़ल, कहानी, लघुकथा, आलेख, आदि रचनाएँ प्रसारित --- विविध विधाओं पर तीस से अधिक संकलनों में सहयोगी प्रकाशन --- देश की शीर्ष सताधिक पत्रिकाओं में प्रकाशन --- राष्ट्रीय महत्व की साहित्यिक एवं सांस्कृतिक संगोष्ठियों में सहभागिता --- दो दर्जन संस्थाओं द्वारा पुरस्कृत --- अंतरराष्ट्रीय शान्ति प्रबोधक महासंघ (संयुक्त राष्ट्र संघ से संबद्ध) का दिया सम्मान तथा हिन्दी सेवी सहस्राब्दि सम्मान विशेष उल्लेखनीय --- संप्रति, एसोसिएट प्रोफेसर, जन्तु विज्ञान विभाग, एस.एम. पी.जी. कॉलेज, चन्दौसी (मुरादाबाद)।

हर विवाद ज़ख्म में लगा दे जो मरहम
हमदर्द दिल की वो छुअन मैं ढूँढ़ रहा हूँ।

बेगाना भी लगने लगे हमको अज़ीज़ सा
मैं वो ही मुरव्वत का सगुन ढूँढ़ रहा हूँ।

सत्य और प्रेम का लहरा उठे परचम
बारूद में छिपे अमन को ढूँढ़ रहा हूँ।

तंग दिली से निकल मैं आसमाँ छू लूँ
मुकम्मल होने का वो फन ढूँढ़ रहा हूँ।

57

कहते हो मोहम्मद से वफ़ा है

– फरहत जमा खान (सागर)*

हम भूल गए अपनी नमाज़ों को कुरआं को।
जाते नहीं सुनकर भी मस्जिदों में अज़ाँ को।।
अगाह की नज़रों में ये तोहीनें वफ़ा है।
आसारे तबाही जो नहीं है तो ये क्या है।।

हक मारो गरीबों का करो चोरी-डकैती।
इस काम से रुकने को भी गौरव नहीं कहती।।
ये काम ज़रा सोच चलो अच्छा के बुरा है।
आसारे तबाही जो नहीं है तो ये क्या है।।

क्या फ़र्क है गीतों में ज़रा देखो तो सुनकर।
तुम नात भी पढ़ते हो तो संगीत की धुन पर।।

---

* **फरहत जमा खान (सागर)** – काव्य गंगा, काल चक्र, साहित्य सरोवर, नक्षत्र, अनवेषिका, अनुभूतियाँ, दामने जिन्दगी, संदीप जी, औरत, रागरंग, अभिव्यक्ति, अर्न्तमन, संगम, आदि साहित्य संग्रह प्रकाशित --- गुलशन अदब, अभिव्यक्ति, बज्मे फिक्रोफन, इशरत जमा खाँ अकादमी नजीबाबाद आदि काव्य संस्थाओं से जुड़े हैं --- गज़ल साहित्य गौरव सम्मान 2006 एवं देश के कई अन्य संस्थाओं द्वारा सम्मानित।

और उस पे ये कहते हो मोहम्मद से वफ़ा है।
आसारे तबाही जो नहीं है तो ये क्या है।।

अगाह तू इस कौम को दे राहे हिदायतर।
सब कुछ दिया तू ने है इसे फिर भी शिकायत।।
गुमराही के रास्ते में 'फरहत' यूँ ही खड़ा है।।
आसारे तबाही जो नहीं तो ये क्या है।।

58

कितने रंगों में रंगा है मेरा भारत देश

– अनवर सलीम*

अलग-अलग अंदाज, लेकिन एक यही पहचान
'मीर' और 'मीरा', 'मुंशी', 'इंशा', सबका हिन्दुस्तान।

'मीर' और 'मीरा', 'मंशी', 'मुंशी', 'इन्शा' सब तेरी सन्तान
अपने-अपने तौर गाएँ ये तेरे गुण गान।

कितने रंगों में रंगा है मेरा भारत देश
ऋषि, मुनि और सन्त यहां पर पीर, वली दरवेश।

आओ मिल बैंठें और अपनी-अपनी बात सुनाएँ
काम करें ऐसा कि इस धरती को स्वर्ग बनाएँ।

धरती की रानी के इक-इक अंग से बरसे रूप
प्यारी है हर चीज़ यहां की क्या छाँव क्या धूप।

---

* **अनवर सलीम** – एम.ए. (अंग्रेजी) --- अनेक रचनाएँ प्रकाशित --- कई संस्थाओं द्वारा सम्मानित।

59

अब भी वक्त है, रोक लो अपने कदम

– हरकीरत हकीर*

इतिहास के पन्नों से उठेगा सवाल
कतरा-कतरा खून माँगेगा हिसाब
तब चट्टान से कठोर तुम्हारे ये चेहरे
नाम की तलाश में...
ढूँढ़ते फिरेंगे अंधेरी गुफाएँ
और तुम चलते-चलते थक जाओगे
जब समय की पीठ पर खुद समय करेगा वार

सलाखों में बंद...

---

* **हरकीरत हकीर** – हिन्दी, पंजाबी तथा असमिया में काव्य, आलेख, कहानियों का लेखन व अनुवाद --- 'इक-दर्द' काव्य संग्रह प्रकाशित (2007) --- आकाशवाणी एवं दूरदर्शन से काव्यपाठ --- पूर्वोत्तर हिन्दी अकादमी, शिलांग, द्वारा 'डॉ. महाराज कृष्ण जैन स्मृति पुरस्कार' (2008), ग्वालियर साहित्य एवं कला परिषद, ग्वालियर, द्वारा 'काव्य शिरोमणि' (2009) एवं श्रेष्ठ गज़ल लेखन के लिए 'दुष्यंत कुमार' सम्मान, कवर्धा पुष्पगंधा प्रकाशन, छत्तीसगढ़, द्वारा 'महादेवी स्मृति सम्मान', राष्ट्रीय राजभाषा पीठ इलाहाबाद द्वारा 'भारती भूषण सम्मान' एवं अनेक साहित्यिक संस्थाओं द्वारा सम्मानित --- संप्रति, गृहणी।

देश एक, एक हैं हम सब

तुम्हारे मस्तक पर लगा ये रक्त का तिलक
नहीं बन पायेगा किसी माँग का सिन्दूर
संवेदना के टूटे शब्द भी मुँह फेर लेंगे
और तुम मृत्यु से भय खाते
नहीं कर पाओगे किसी को भी भयभीत
अन्याय और अत्याचार से सने तुम्हारे ये हाथ
आखिर कब तक खींच पायेंगे जुल्म की नाव...?

पहचानो...
अपनी लहूलुहान होती आत्मा की आवाज़
झूठे उसूल, झूठी शान, झूठा गुमान
दौड़ते फिरोगे आखिर कब तक...?
अब भी वक्त है, रोक लो अपने कदम
इससे पहले कि काले पड़ सूख चुके रक्त-रक्त के धब्बे
फिर से लाल हो उठें
धो लो अपने हाथों को
इन मुरझाये चेहरों पर

फिर मुस्कान खिलाकर...!!

60

मज़हबिया आँधी ने कैसा ताण्डव दिखलाया

– डॉ. ब्रह्मजीत गौतम*

काँप रहे हैं पेड़ सभी, पर पौधा मुरझाया
मज़हबिया आँधी ने कैसा ताण्डव दिखलाया।
फ़िक्र चमन की नहीं, सभी हैं
अपने में भूले
अपने रंग और खुशबू के
झूल रहे झूले
बूढ़ा बरगद देख-देखकर मन में झुँझलाया
मज़हबिया आँधी ने कैसा ताण्डव दिखलाया।

---

* **डॉ. ब्रह्मजीत गौतम –** म.प्र. शासन के उच्च शिक्षा विभाग में हिन्दी प्रोफेसर के पद से अवकाश प्राप्त --- कविता, गीत, गज़ल, लघुकथा, निबन्ध, व्यंग्य, समीक्षा, एकांकी, रेडियो, नाटक, आदि लेखन-विधाओं में प्रवीण --- अंजुरी (काव्य संग्रह), कबीर-काव्य में प्रतीक-विधान (शोध-ग्रन्थ), कबीर-प्रतीक-कोश (कोश-ग्रंथ), इत्यादि कृतियाँ प्रकाशित --- 'साहित्य-सेवी' (बिजनोर), 'कविवर मैथिलीशरण गुप्त सम्मान' (मथुरा), 'साहित्यश्री' (जबलपुर), 'राष्ट्रभाषा-रत्न' (कप्त नगंज, कुशीनगर), 'शाने अदब' (बज़्मे सईद, झबुआ), 'हिन्दी साहित्य गौरव' (ठाणे, महाराष्ट्र), 'वतन के राही कविरत्न' (दुर्ग) आदि पुरस्कारों एवं सम्मानों से विभूषित --- संप्रति, स्वतंत्र साहित्य लेखन।

देश एक, एक हैं हम सब

जो भी आता, बीज यहाँ
नफ़रत के बो जाता
हर कोई अलगाववाद में
गाफ़िल हो जाता
जगह-जगह कैक्टस उग आये दूर हुई छाया
मज़हबिया आँधी ने कैसा ताण्डव दिखलाया।

अपनी भाषा, अपनी संस्कृति
खूब फलें-फूलें
अन्य संप्रदायों की बेशक
हिल जायें चूलें
स्वार्थवाद के कीड़ों ने है हर जड़ को खाया
मज़हबिया आँधी ने कैसा ताण्डव दिखलाया।

कैसे चमन बचाये अपना
आओ कुछ मनन करें
सभी करें स्वविकास निडर हो
ऐसे जतन करें
जाति-पाँति, भाषा-मज़हब की मिट जाये माया
मज़हबिया आँधी ने कैसा ताण्डव दिखलाया।

61

उस 'हिन्दोस्ताँ' की बात कर

– **खुर्शीद नवाब***

हिन्दू की बात कर, न मुसलमाँ की बात कर
इन्सान तू अगर है तो, इन्साँ की बात कर

पैदा हुआ है तू फ़कत, इन्साँ की शक्ल में
मज़हब की आड़ ले के न तू शैताँ की बात कर

हर धर्म, सिखाए हमें, ईसारो–मोहब्बत
'गीता' को सर लगा, कभी 'कुरआँ' की बात कर

सौहार्द, भाईचारे का माहौल बना कर
सबको गले लगा, ज़रा ईमाँ की बात कर

जिस देश में 'अनेकता में एकता' है आज
उस 'मुल्क', उस वतन, उस 'हिन्दोस्ताँ' की बात कर

---

* **खुर्शीद नवाब** – हिंदी, उर्दू, राजस्थानी भाषा और साहित्य की सभी विधाओं में गीत, गज़ल, नाटक, कव्वाली आदि में अनेक रचनाएँ प्रकाशित --- संप्रति, अध्यक्ष, अदबी संगम संस्थान उदयपुर, सचिव, राजस्थानी भाषा मान्यता संघर्ष समिति उदयपुर संभाग और सेवा निवृत्ति शिक्षक।

देश एक, एक हैं हम सब

हर दीन दुखी के वक्त पर तू, काम आना सीख
जब भी तुझे मौका मिले, तो 'हाँ' की बात कर

सरहद पे निगेहबान है, हर धर्म का जवाँ
इस देश पे जो हो गए, कुरबाँ की बात कर

खुर्शीद, दो दरियाओं के मिलने का अज़्म कर
साहिल पे खड़ा हो के, ना, तूंफाँ की बात कर

62

सबके साथ-साथ कदम चलें

– पंडित हरिराम द्विवेदी*

सर्व धर्म समान भाव भरी हुई शुभ कामना
स्नेहमय सद्‌भाव से सम्मान की हो सर्जना
हर हृदय में भाव उपजे आपसी सहयोग का
स्नेह की धारा बहे यह ध्येय हो हम सब का।

राष्ट्र-हित कुछ भी करें, सबकी हृदय की चाह हो
पंथ की निरपेक्षता हो, सुगम सबकी राह हो
देश तो है हम सभी का, सभी अपने हैं यहाँ
माँ सजोये है, सभी के सुखद सपने हैं यहाँ।

हर हृदय में हर किसी के वास्ते अनुराग हो
प्रेम हो, विश्वास हो, विश्वास में ही त्याग हो

* **पंडित हरिराम द्विवेदी –** एम. ए., बी. एड. --- साहित्यिक, सांस्कृतिक एवं कलात्मक अभिरुचि से विभूषित --- लगभग तीन दशक तक आकाशवाणी की प्रसारण --- सेवा से सम्बद्ध रहकर सेवा-निवृत्त --- हिन्दी एवं भोजपुरी के स्थापित कवियों में प्रतिष्ठित --- साहित्य अकादमी पुरस्कार सहित देश के अनेक प्रतिष्ठित सम्मान और पुरस्कार से सम्मानित --- हिन्दी एवं भोजपुरी में 15 से अधिक रचनाएँ प्रकाशित --- अपनी लोक-संस्कृति के प्रति निष्ठावान --- राष्ट्रीय एकता एवं साम्प्रदायिक सद्‌भाव के प्रति विशेष समर्पित।

देश एक, एक हैं हम सब

हाथ में हो हाथ, सबके साथ-साथ कदम चलें
'मैं' न रह जाये कहीं भी, इस तरह से हम चलें।

संस्कारों से भरी इस तरह की तहज़ीब हो
कुछ करें ऐसा कि जिससे प्राण-प्राण करीब हो
भरे मानवता सभी में, श्रेष्ठ मानव धर्म हो
लोक हित हर काम हो, जो काम हो सत्कर्म हो।

और कुछ तो है नहीं, संकल्प अपने पास है
यही अपनी आस्था है, शक्ति है, विश्वास है
और इस विश्वास को विश्वास ही बस चाहिए
पास हो, सबके हृदय में प्यास ही बस चाहिए।

यही संस्कृति हो, हमारी तो यही पहचान हो
प्यार के वातावरण से भरा हिन्दुस्तान हो।

63

अम्न का पैगाम दो

– मुनव्वर अली 'ताज'*

इस तरह हिन्दोस्तां को अम्न का पैगाम दो,
हिन्दुओं को दो खुदा और मुस्लिमों को राम दो ।

इस तरह इंसानियत की रूह को आराम दो,
मेहनतों को दो सवेरा, और थकन को शाम दो।

जो हो सबके वास्ते सबकी भलाई के लिए,
आप अपने आप को ऐसा कोई शुभ काम दो।

ज़िंन्दगी खुद आदमी की आरज़ू करने लगे,
इस सलीके से सदा हर काम को अंज़ाम दो।

'ताज' ने तो मंजिलों का रास्ता दिखला दिया,
आप अपनी कोशिशों को नित नया आयाम दो।

---

* **मुनव्वर अली 'ताज'** – हिन्दी और उर्दू में एम.ए. --- राष्ट्रीय-अंतरराष्ट्रीय पत्र-पत्रिकाओं में रचनाओं का प्रकाशन --- दूरदर्शन व आकाशवाणी से कविताओं का प्रसारण --- 2004 में 'मुनीर खाँ मेमोरियल अवार्ड', छबड़ा (राज.), 2006 में हिन्दी साहित्य सम्मेलन, प्रयाग, इलाहाबाद (उ.प्र.) की ओर से 'साहित्य सारस्वत सम्मान' से सम्मानित।

64

एक-दूजे के मेहमान हो

– **साहिल***

हिन्दू---ईसाई---बौद्ध---मुसलमान हो सके।
इन्सान हैं मगर कहां इन्सान हो सके।।
बरसों से एक मोहल्ले में रहते हैं हम मगर।
ना एक-दूजे के वहां मेहमान हो सके।।

हैं एक ख़्वाब-ख़्वाहिशें---हैं एक राहगुज़र।
फिर भी जरा-तरा भी न परचान हो सकें।।
मज़हब सरापा फूल सी खूशबू सा होता है।
हम कैसे उसके वास्ते तूफान हो सके।।

दामन हमारी सोच का है इतना तंग क्यों!
आपस में थोड़ा भी न मेहरबान हो सके।।
'साहिल' दिया जलाने की जो हैसियत नहीं,
क्यों बस्तियां जलाने का ऐलान हो सके।।

---

* **साहिल** – 1961-62 से गुजराती में और 1971-72 से हिन्दी में साहित्य सर्जन में लगे --- मातृभाषा गुजराती में गज़ल-संग्रह 'शतक पत्ता एफ' प्रकाशित --- हिन्दी व गुजराती में गज़ल संग्रह के लेखक।

65

धर्म के नाम पे इन्सान न बंटने पाये

– कुंवर कुसुमेश*

रात-दिन और सुबह-शाम ये उलझन क्यों है।
आज सहमा हुआ प्यार-सा ये गुलशन क्यों है।।
याद है तीर क्या,
तलवा किसे कहते हैं।
आदमी भूल गया,
प्यार किसे कहते हैं।
आज इन्सान ही इन्सान का दुश्मन क्यों है।
आज सहमा हुआ प्यारा-सा ये गुलशन क्या है।।

---

* **कुंवर कुसुमेश** – आकाशवाणी लखनऊ से रचनाएँ प्रसारित --- 1996 में कादम्बिनी द्वारा समस्या-पूर्ति के अन्तर्गत पुरस्कृत --- 1998 में गज़ल संग्रह 'अंधेरे भी उजाले भी', 2000 में 'पर्यावरणीय दोहे' दोहा-संग्रह और सौ से अधिक संकलनों में रचनाएँ प्रकाशित --- लखनऊ से प्रकाशित अविरल मंथन (त्रैमासिक) में और पटना से प्रकाशित हरित वसुन्धरा (त्रैमासिक) में सम्पादन सहयोग --- राष्ट्रीय स्तर की विभिन्न पत्र-पत्रिकाओं में रचनाएँ तथा समीक्षाएँ प्रकाशित --- ली प्रकाशन कुरासिया, कोरिया, छत्तीसगढ़, द्वारा 'विद्यारत्न भारती', ध्रुव प्रकाशन, अहमदाबाद, द्वारा 'साहित्य सारस्वत', पत्र लेखक मंच बैतूल से 'काव्य रत्न', महाराष्ट्र दलित साहित्य अकादमी भुसावल द्वारा 'काव्य साधना' और शबनम साहित्य परिषद, सोजत सिटी, राज. से 'साहित्य महाराणा' से पुरस्कृत एवं नगर राजभाषा कार्यान्वयन समिति, लखनऊ, रोटरी क्लब लखनऊ, तथा अन्य कई संस्थाओं द्वारा सम्मानित।

देश एक, एक हैं हम सब

जुल्मों-नफ़रत की चली,
है ये किधर से आँधी।
देश ऐसा तो न था,
जब थे जवाहर-गाँधी।
सबकी आँखों से बरसता ये सावन क्यों है।
आज सहमा हुआ प्यारा-सा ये गुलशन क्यों है।।

देखना अब कोई,
तूफान न उठने पाये।
धर्म के नाम पे,
इन्सान न बंटने पाये।
दिल है दर्पण तो चटकता हुआ दर्पण क्यों है।
आज सहमा हुआ प्यारा-सा ये गुलशन क्यों है।।

66

देश हमारा सबका है

– **श्याम 'अंकुर'***

अपने हाथों से रखवाली देश हमारा सबका है।
इसके रक्षक हम हैं माली देश हमारा सबका है।

हत्या, लूट, डकैती, दहशत हर बस्ती से दूर रहे,
अपनेपन की चमके लाली देश हमारा सबका है।

आने वाली पीढ़ी को दें उत्थानों की सौगातें,
हिय में ऐसी हरत पाली देश हमारा सबका है।

कट्टरता को छोड़ा हमने प्रीत लगा ली सबसे ही,
सुख की हमने फसल उगाली देश हमारा सबका है।

कहीं अज़ाने मस्ज़िद से अरदास लगी गुरुद्वारे में,
मन्दिर सजती पूजा थाली देश हमारा सबका है।

* **श्याम 'अंकुर'** – बी.एस.सी. (जीव विज्ञान), एम.ए. (इतिहास), बी.एड।

67

अम्न की जो ये शमां जलती रहे...

– डॉ. मु. सेराज अहमद खान*

ज़िंदगी दुश्वार हो कर भी यूँ ही चलती रहे,
जल रही है अम्न की जो ये शमां जलती रहे
हम कि हिन्दुस्तान के गुलशन के फूल
हमसे ही मनसूब कौमों के उसूल
हम नहीं बोते हैं राहों में बबूल
हम कि कौमी एकता के वास्ते सिनासिपर
पास न आए एकाबत हाथ ही मलती रहे
जल रही है...

जुल्मतों के जो अमीं हैं उनसे कहिए दोस्तों
हिन्द ये ज़ानशीं है उनसे कहिए दोस्तों

---

* **डॉ. मु. सेराज अहमद खान –** कहानी, लघुकथा, कविता, गीत, गज़ल, लेख, साक्षात्कार, रिपोतार्ज, आदि सौ से अधिक रचनायें पत्र-पत्रिकाओं में प्रकाशित --- उर्दू, बंगला, और अंग्रेजी में कहानी संग्रह 'जिहाद' अनूदित व प्रकाशित --- भारतीय भाषा परिषद के 'युवा कथा लेखन' के तहत आयोजित कहानी प्रतियोगिता में द्वितीय पुरस्कार और विवेकशील व मानवतावादी लेखन के लिए 'राल पुरस्कार 96' प्राप्त --- भारतीय वाड्मय पीठ कोलकाता द्वारा और अंजुमन फिक्र-ए-जदीद कोलकाता द्वारा लिटेररी एचिवमेंट 2008 के लिए भी सम्मानित --- संप्रति, संपादन और स्वतंत्र लेखन।

देवता हरेक मकीं है उसने कहिए दोस्तों
पाक ये कितनी जमी है उनसे कहिए दोस्तों
है हमारे वास्ते फितने तुम्हारे बेअसर
गर हमारे दिल वाहम दोस्ती पलती रहे
जल रही है...

यूं तो किक्तनागर ज़माने में हुए कब एक हैं-
एक है धरती हमारे वास्ते रब एक है---
मन्दिर-व-मस्ज़िद हमारे वास्ते सब एक है---
क्योंकि हम कश्मीर-व-पंजाब से जब एक हैं---
हम चले जिस ओर खुद ही रौशनी चल दे उधर
दुश्मनों को बात ये खलती है तो खलती रहे---
जल रही है अम्न की जो ये शमा जलती रहे
ज़िन्दगी दुश्वार होकर भी यूं ही चलती रहे

68

मैं सब के लिए हूँ

– मुनव्वर अली 'ताज'*

मैं बाईबल नहीं हूँ, न गीता, कुरआन हूँ
हिन्दू न मुसलमान, मैं भारत महान हूँ
सब के लिए हूँ और सभी हैं मेरे लिए
ए 'ताज' एकता का सरल संविधान हूँ।

---

* **मुनव्वर अली 'ताज'** – हिन्दी और उर्दू में एम.ए. --- राष्ट्रीय-अंतरराष्ट्रीय पत्र-पत्रिकाओं में रचनाओं का प्रकाशन --- दूरदर्शन व आकाशवाणी से कविताओं का प्रसारण --- 2004 में 'मुनीर खाँ मेमोरियल अवार्ड', छबड़ा (राज.), 2006 में हिन्दी साहित्य सम्मेलन, प्रयाग, इलाहाबाद (उ.प्र.) की ओर से 'साहित्य सारस्वत सम्मान' से सम्मानित।

69

प्यार की गोद में नन्हा सा खुदा पलता है

– राकेश मल्होत्रा 'नुदरत'*

इन्सान इक उठा था कभी ज़ुल्म के खिलाफ
आवाज़ आ रही है अभी तक सलीब से।

मां यशोधरा सा कभी प्यार तो करके देखो
प्यार की गोद में नन्हा सा खुदा पलता है।

हूँ मैं जोगन सांवरे उस शाम की घनश्याम की
हाँ कन्हैया बांसुरी वाला मेरा चितचोर है।

मेरी पूजा को कहो राम या जीसस कह लो
कुछ भी हो नाम भला नाम में क्या रखा है।

बना दिल हमारा मोहब्बत का मन्दिर
हमीं इसमें बैठे हैं धूनि रमाये।

---

* **राकेश मल्होत्रा 'नुदरत'** – 'पलकों के साये', 'गीत फुसर', 'काव्य गंगा', 'विरह की रागिनी' और 'प्रेम सेत' पुस्तकें प्रकाशित।

वो दिलबर हसींतर था दिल में ही मेरे
यहीं पास आते जमाने लगे हैं।

तू खुद इश्क के क़रीब है 'नुदरत'
यह तेरी शायरी इबादत है।

70

हर ओर अमन होता हथियार जो न होते

– अशोक 'अंजुम'*

ये तीर जो न होते, तलवार जो न होते
हर ओर अमन होता हथियार जो न होते।

मिलती न कोई मंजिल, होता न कुछ भी हासिल
जीवन पे दोस्तों के उपकार जो न होते।

सीने में थी घुटन सी, हर ओर धुआँ सा था
मर जाते हम तुम्हारे दीदार जो न होते।

होते उदासियों के मंज़र जगह-जगह पर
यारो मुहब्बतों के त्यौहार जो न होते।

* **अशोक 'अंजुम'** – 12 मौलिक एवं 32 संपादित पुस्तकें और सैकड़ों समवेत संकलनों में रचनाएँ प्रकाशित --- त्रैमासिक 'अभिनव प्रयास' के सम्पादक --- दर्जनों प्रतिष्ठित पुरस्कार एवं सम्मानोपाधियाँ --- आकाशवाणी के अनेक केन्द्रों, दूरदर्शन के कई चैनलों तथा देश-भर के काव्य-मंचों पर व्यंग्य कवि, गज़लकार और दोहाकार के रूप में प्रतिष्ठित --- अनेक गायकों द्वारा रचनाओं का गायन --- संप्रति, सन्त फिदेलिस स्कूल में अध्यापन।

होती न महफिलें ये खिलते न कमल दिल के
हम जैसे इस जहाँ मैं फ़नकार जो न होते

ये इंतज़ार हमको कुछ और लुत्फ देता
'अंजुम' ये ज़िन्दगी के दिन चार जो न होते

ये ज़मीं साथ रहे, आसमान साथ रहे
मैं सच कहूँ, और मेरी ज़बान साथ रहे।

वो शख्स बढ़ता है जितना भी बुलन्दी की तरफ,
बताओ उसको कि उतनी ढलान साथ रहे।

सफ़र की आग सितारों में कहीं खो जाए,
यूँ न हो तुझसे मिलूँ और थकान साथ रहे।

यूँ कबूतर अमन के उसने उड़ाए हर सू,
मगर हमेशा ही तीर कमान साथ रहे।

हयात बख्शी है मुझको तो वो हुनर भी दे,
करूँ मैं आरती जिस पल अजान साथ रहे।

वो सादगी वो हँसी, वो तेरे थिरकते लव,
मैं घर से दूर हूँ तेरा गुमान साथ रहे।

नहीं है कौन जो बाज़ार की न ज़द में हो,
चले हैं राह पे लेकिन दुकान साथ रहे।

71

दर ईश्वर का कोई भी हो, अपना शीश झुका लेना

– याम झँवर 'याम'*

जीवन में सद्भाव स्नेह का, दीपक एक जला लेना
आँगन में दीवार जहाँ है, तुम खिड़की लगवा लेना

मन्दिर-मस्ज़िद-गिरजाघर में, मत इन्सां को बाँटो तुम
दर ईश्वर का कोई भी हो, अपना शीश झुका लेना

सद्भावों के लिए बचा है, एक काम इस दुनिया में
मानवता का झंडा, घर-घर, बस्ती में फेरहा लेना

पलकों में हो उगता सूरज, और बाजुओं में क्षमता
आ जायेंगे चाँद-सितारे, अपने घर बुलवा लेना

भाईचारा-प्रेम-प्यार, सद्भाव-शान्ति सब कहाँ गए?
रहो ढूंढ़ते इस जीवन में, अपना मन समझ लेना

---

* **याम झँवर 'श्याम'** – एक रात कविता के नाम (काव्य-संग्रह), आवाज़ दो (काव्य संग्रह), टुकड़ों में सच (संग्रह), गुलदस्ता (गज़लें), अंगारे (वर्तमान गज़ल संग्रह), आदि पुस्तकें प्रकाशित --- पांच प्रांतों एवं 17 जिला मुख्यालयों पर सम्मानित।

72

आपस में मौहब्बत से रहो

– **महमूद खान अब्बासी***

न अदावत से रहो और नफ़रत से रहो।
तुमको रहना है तो भारत में मुरव्वत से रहो।।

योमे-आज़ादी को पाया है बड़ी मुश्किल से,
गांधी-नेहरू का है ये तो सदाकत से रहो।।

हिंदू-मुस्लिम हो या सिख हो के ईसाई कोई,
एक मां के हैं सभी लाल मोहब्बत से रहो।।

खाक़ में मिलके भी गूजेंगी शहीदों की सदा
आबरू तुमसे वतन की है रफाक़त से रहो।।

जिसको रोटी न मिले तन को लंगोटी न मिले,
उससे कहते हो कि तुम ऐशो-इशरत से रहो।।

खूनी माहौल के सीने पे लिखा है 'हमसफर',
वक्त की मांग है आपस में मौहब्बत से रहो।।

---

* **महमूद खान अब्बासी** – देश की अनेक पत्रिकाओं में गज़लें प्रकाशित।

73

आओ सब मिल के चलें

– महेन्द्र प्रताप 'चाँद'*

वक़्त की आवाज़

दोस्तो! आओ
ज़रा वक़्त की आवाज़ सुनें
आओ सब मिल के चलें।

रूखी हालात है क्या? इसका तक़ाज़ा क्या है?
इस कठिन दौर में अब फ़र्ज़ हमारा क्या है?
भाईचारे का, मुहब्बत का नया अहद करें
आओ सब मिल के चलें।

---

* **महेन्द्र प्रताप 'चाँद'** – ज़ख्म आर्जुओं के, 'हाली पानीपती' की गज़लें, दू का मूल्य (देवनागरी में), हर्फ़े-राज़ हर्फ़े-आश्ना, आजारे-गमे-इश्क (काव्य-संकलन-उर्दू में), लावा (दशमेश गुरु के चरित्र एवं उनके कारनामों पर आधारित, 'कैस' जालन्धरी द्वारा रचित उर्द काव्य का सम्पादन), उर्दू जबानो-अदब के फरोगो-इरतका में हरियाणा का हिस्सा, उजालों के सफीर (शोध लेख) आदि कृतियाँ प्रकाशित --- हरियाणा उर्दू अकादमी द्वारा 'बर्नी एवार्ड' और फ्रैंडंज फोरम ऑफ इंडिया, नई दिल्ली द्वारा, 'भारत एक्सीलैन्स एवार्ड से सम्मानित --- संप्रति, कुरुक्षेत्र विश्वविद्यालय से पुस्तकालयाध्यक्ष के पद से सेवानिवृत्त, सदस्य हरियाणा उर्दू अकादमी, आकाशवाणी एवं दूरदर्शन से प्रसारण और स्वतन्त्र लेखन।

देश एक, एक हैं हम सब

हैं अलग बोलियां इस देश में, फ़िरक़े हैं जुदा
फिर भी है एक ही क़ौम, एक ही अपना है खुदा
आओ इस बात को हमारे सारे ज़माने से कहें
आओ सब मिल के चलें।

मिहरो-उलफ़त के न फूल खिलाएं यारो!
नफ़रतों की जो हैं दीवारें, गिराएं यारो!
हाथ में हाथ लिये आगे बढ़ें, आगे बढ़ें
आओ सब मिल के चलें।

घर जला जिसका वो अपना ही तो हम साया है
माल गैरों का नहीं, कौम का सरमाया है
आओ सोचें जरा इस बात का अहसास करें
आओ सब मिल के चलें।

दोस्तो! आओ, जरा वक्त की आवाज़ सुनें
आओ सब मिल के चलें
आओ सब मिल के चलें।

74

सब का होगा जब एक धर्म

– डॉ. महाश्वेता चतुर्वेदी*

आतंकवाद की जर्जरता
जब भूतल से उठ जाएगी
नव रचना का उन्मेष देख
हर दिशा स्वयं मुस्कायेगी
आलस्य त्यागकर प्रतिजन जब
श्रम के गीतों को गायेगा।
ऋतुराज तभी आ पायेगा।

इस विकसित विश्व वाटिका में
आशा-विश्वासों की महिमा।
सद्भावों के विकसित प्रसून
संचरित हुई जिससे गरिमा
मानवता पिक की तानों से

* **डॉ. महाश्वेता चतुर्वेदी** – सात वर्ष की आयु से ही काव्य रचना आरंभ --- हिन्दी में चालीस से अधिक और संस्कृत में दो कृतियाँ, अंग्रेजी में दस काव्यसंग्रह और दो गद्यकृतियाँ प्रकाशित हो चुकी हैं --- साहित्यिक संगोष्ठियों के संदर्भ में आप अनेक विदेश यात्रायें भी कर चुकी हैं --- संप्रति, एसोसिएट प्रोफेसर हैं।

कोना–कोना भर जायेगा।
ऋतुराज तभी आ पायेगा।

इस शक्ति स्वरूपा नारी का
गौरव जब जग पहचानेगा।
उस अग्निदाहमय दावन का
अस्तित्व स्वयं मिट जायेगा।
जब लोभ करें षडयंत्रों का
झंझ प्रपंच थम जायेगा।
ऋतुराज तभी आ पायेगा।

ईश्वर हिंदू है या कि खुदा
या कभी लगा ईसाई है
मज़हब के नाम लहू बहता
मिली जिसकी न सफाई है
सब का होगा जब एक धर्म
सब, भेदभाव मिट जायेगा
ऋतुराज तभी आ पायेगा

75

गैरों को हम अपना बनाएंगे

– **प्रकाश 'सूना'***

हर दिल में इक चराग-ए-मुहब्बत जलाएंगे,
गैरों को इस तरह से हम अपना बनाएंगे।

है गमज़दा वतन के बहुत लोग आज भी,
दे के हसीन ख्वाब हम उनको हँसाएंगे।

रुठे रहेंगे देखिए वो इस तरह कब तक,
दिल में उन्हें बिठाएंगे, हम फिर मनाएँगे।

दीदार-ए-यार को हुई मुद्दत तो क्या हुआ,
ख्वाबों में उनके वास्ते महफिल सजाएँगे।
हक है सभी का 'सूना' कि आजाद ही जीएँ,
हर दिल में हो सुकूं नगर ऐसा बसाएँगे।

---

* **प्रकाश 'सूना'** – गीत, गज़ल, लघु कथा, आदि लेखन-विधाओं में माहिर --- 'पुण्य पर्वा' (गीत संग्रह) प्रकाशित --- अनेकों साहित्यिक संस्थाओं द्वारा सम्मानित।

76

दुनिया को भाईचारे की जंजीर चाहिये

– शम्मी-शक्स-वारसी*

फरियाद करने वालों को ज़ंज़ीर चाहिये।
इस दौर में भी अहले-जहाँगीर चाहिये।
कदमों तले रखी हुई जन्नत को छोड़कर,
बच्चों को बलिदान की जागीर चाहिये।

भारत की खूबसूरती दिखती नहीं इन्हें,
इनको तो बस गरीबों की तस्वीर चाहिये।
मन्दिर बने के चर्च के मस्ज़िद बने मगर,
मिलजुल के दोस्तों यहाँ तामीर चाहिये।

आपस में हाथ थाम के कड़ियाँ मिलादें हम,
दुनिया को भाईचारे की ज़ंज़ीर चाहिये।
पाकीज़गी ज़रूरी है 'ऐ शक्स' सोच में,
अच्छी गज़ल को अच्छी ही तहरीर चाहिये।

---

* **शम्मी-शक्स-वारसी** – नीला चाँद (गज़ल संग्रह) प्रकाशित --- बात इतनी सी (मजमूआ) प्रकाशनाधीन --- अनेक प्रतिष्ठित पत्र-पत्रिकाओं और संकलनों में रचनाएँ निरन्तर प्रकाशित।

77

रहें सब प्यार से मिलकर

– विजय कुमार 'तन्हा'*

न हिन्दू है यहाँ कोई, न सिख, मुस्लिम, ईसाई है।
वतन में जो मेरे रहता, सगा अपना वो भाई है।

धरम के नाम पर बांटा, न जाने क्यों हमें यारो,
सभी हैं एक ईश्वर के, मगर फिर भी लड़ाई है।

न रखता बैर है सूरज, हवा-पानी नहीं बंटता,
धरा भी एक है सबकी, नहीं वो तक पराई है।

लड़ाते ही सदा रहना, यहां निर्दोष लोगों को,
समझ में कुछ नहीं आता, कसम किसने खिलाई है।

अमन के पथ नहीं चलता, यहां पर आजकल कोई,
जहां पर है मनुजता भी, जहां सबकी भलाई है।

मिटेगा द्वेष का तम भी, रहें सब प्यार से मिलकर,
समझ में बात 'तन्हा' के, यही सदियों से आई है।

---

* **विजय कुमार 'तन्हा'** – सैकड़ों पत्र-पत्रिकाओं एवं काव्य-संग्रह में रचनाएँ प्रकाशित --- चतुर्मासिक पत्रिका 'प्रेरणा' का वर्ष 2000 से संपादन --- साहित्य सेवा व समाज सेवा में दो दर्जन सम्मान व कई सम्मान पत्र प्राप्त।

78

आओ घर-घर दीप जलाएं

– प्रो. डॉ. जयजयराम आनंद*

आओ घर-घर दीप जलाएं
साथ-साथ पथ पर चलने से
विश्वासों के फूल खिले हैं
सतत् साधना के बदले में
अंतर्मन में भाव जगे हैं।

सांस-सांस विश्वास जगाकर
मंजिल को मुट्ठी में भर लें
प्राण-प्राण में दीप जगाकर
जिजीविषा जीवन में भर लें
प्रेम मिलन की रीति चलाएं।

---

* **प्रो. डॉ. जयजयराम आनंद** – एम.ए. (मनो.) एम.एड. पी.एच.डी. --- सुप्रसिद्ध शिक्षा शास्त्री --- बुनियादी शिक्षा, शैक्षिक अनुसंधान एवं सांख्यिकी, जनसंख्या शिक्षा एवं बाल समस्याएं, आदि क्षेत्रों में सराहनीय योगदान --- घर-घर में वसंत, घर के अंदर घर, बोला काग मुंडेर पर (नई कविता), बूंद-बूंद आनंद, अमेरिका में, आनंद हास्य योग आनंद (दोहा संग्रह), धूर भरे आनंद, चांद सितारों में आनंद (बाल-गीत), आदि रचनाएँ प्रकाशित --- देश विदेश की पत्रिकाओं में तथा इंटरनेट पर कविताओं, दोहों, गीतों का प्रकाशन --- राष्ट्रीय पुरस्कार प्राप्त और अनेक साहित्यिक एवं सामाजिक संस्थाओं द्वारा सम्मानित।

सदियों से मनती आई जो
घर घर में अब तक दीवाली
राम-रहीम के घर आँगन
बांट नहीं पाई खुशहाली
आओ हम दोनों मिलकर के
दुनिया का अंधियारा पी लें
हरे-भरे जो घाव सिसकते
पीड़ा पी लें उनको सीलें
प्राण-प्राण में प्रीति जगाएं।

चंदा-सूरज आसमान में
रोज़ मनाते हैं दीपावली
भेदभाव की गंध न मन में
प्रीति बांटते सदा निराली

सुमन गंध को कैद न करते
तितली, भौंरा, जी भर पीते
प्रकृति-माटी के अनुशासन में
गांधी का सुराज सब जीते
लोकतंत्र का मंत्र जगाएं।

79

काम मिलकर करें सब अमन के लिये

– **अमित चितवन***

जिस तरह माली सोचे चमन के लिये,
सोचिये चाहिये क्या वतन के लिए।

पहले ही दुश्मनों से दुखी हैं सभी,
अब नहीं खार उगाओ चुभन के लिये।

जिसकी खुशबू से माहौल महका रहे,
फूल ऐसे खिलाओ पवन के लिये।

वो ही मन्दिर में वो ही मस्ज़िद में,
फिर भी लड़ते हैं क्यों हम भवन के लिये।

फिर ज़माने में होगी अमित हर खुशी,
काम मिलकर करें सब अमन के लिये।

---

* **अमित चितवन** – स्नातक --- 1980 से हास्य व्यंग्य और गज़ल लेखन --- अनेक पत्र-पत्रिकाओं में कविताओं और गज़लों का प्रकाशन --- 1989 से आकाशवाणी ग्वालियर, ई. टीवी (म.प्र.) और भोपाल दूरदर्शन से काव्य पाठ --- अखिल भारतीय काव्य मंचों पर कविता पाठ, मंच संचालन व कवि सम्मेलन का संयोजन --- कई संस्थाओं द्वारा सम्मानित --- संप्रति, एम.ई.एस. मुरार, ग्वालियर, में कार्यरत।

80

स्वयं को मानव रूप में जानो

– डॉ. सुनील कुमार अग्रवाल*

जीवन भागने के लिए नहीं है
जीवन जागने के लिए है
जीवन केवल देह नहीं है
विदेह का विस्तार है

हम सब यही जानते हैं कि
ईश्वर ने मनुष्य को बनाया
मैं एक रहस्य उद्घाटित करूँ
मनुष्य ने ही ईश्वर को बनाया है
चौंकिये मत!

---

* **डॉ. सुनील कुमार अग्रवाल –** दो काव्य संकलन 'अंकुर' एवं 'वृक्षमित्र' प्रकाशित --- गीत, गज़ल, कहानी, लघुकथा, आलेख, आदि रचनाएँ भी प्रसारित --- विविध विधाओं पर तीस से अधिक संकलनों में सहयोगी प्रकाशन --- देश की शीर्ष पत्रिकाओं में प्रकाशन --- राष्ट्रीय महत्व की साहित्यिक एवं सांस्कृतिक संगोष्ठियों में सहभागिता --- दो दर्जन संस्थाओं द्वारा पुरस्कृत --- अंतरराष्ट्रीय शान्ति प्रबोधक महासंघ का दिया सम्मान तथा हिन्दी सेवी सहस्राब्दि सम्मान विशेष उल्लेखनीय --- संप्रति, एसोसिएट प्रोफेसर, जन्तु विज्ञान विभाग, एस.एम.पी.जी. कॉलेज, चन्दौसी (मुरादाबाद)।

ईश्वर क्या है?
ईश्वर अविनाशी है
चेतन अमल
सहज सुख राशि है।
ईश्वर अनन्त है
दिगदिगन्त है
ईश्वर जन्मा भी है अजन्मा भी है।

ईश्वर का रूप क्या है?
जैसी हमारी कल्पना
ईश्वर ने वही रूप धरा
इसलिए कहता हूँ यारों!

स्वयं को हिन्दू, मुस्लिम, सिख
ईसाई के रूप में नहीं
मानव रूप में जानो
ईश्वर को जानने से पहले
स्वयं को पहचानो।

81

कंठ-कंठ से गूँजे जग में मानवता के गीत

– मदन मोहन शुक्ल*

मनुज-मनुज में भेद न जाने क्यों कर जग में आया।
भाषा, जाति और मज़हब ने कैसा रंग दिखाया।।

वर्ण भरे हों अगर मगर मानव केवल मानव है।
जो मानवता को बिसराए, वह तो बस दानव है।।

मात्र एकता से ही होगा जन-गण का कल्याण।
यह सारी वसुधा कुटुम्ब है, कहता हिन्दुस्तान।।

सत्य, अहिंसा और प्रेम की सीख विश्व को देते।
महावीर, गौतम, गाँधी सबके दुख को हर लेते।।

---

* **मदन मोहन शुक्ल –** एम.ए. (समाज शास्त्र) --- पत्र-पत्रिकाओं में गीत, नवगीत, गज़ल, कविता, गद्यगीत, हास्य व्यंग्य तथा बाल साहित्य का निरंतर प्रकाशन --- काव्य संकलन 'करवटें लेता हिमालय' और 'शहीदों की चिताओं पर जुड़ेंगे हर बरस मेले' प्रकाशित --- अनेक संस्थाओं द्वारा सम्मानित --- संप्रति, अध्यक्ष, हितैषी स्मारक सेवा समिति, गंजमुरादाबाद उन्नाव, उ.प्र.।

क्षमा, दया, करुणा के रत्नों का भंडार लुटाते।
अपने सद्‌भावों से जगती-तल को स्वर्ग बनाते।।

यीशु कहो, पैगंबर कह लो या कहलो श्रीराम।
मूल तत्व है एक सभी का, अलग-अलग हैं नाम।।

गीता, वेद, कुरान, बाइबिल, गुरु-ग्रंथ की वाणी।
कहती मालिक एक सभी का, बन्दे हैं सब प्राणी।।
उसका ही है तेज सभी में, उसका एक सहारा।
सबका रक्षक, सबका पालक, ईश्वर एक हमारा।।

जहाँ आरती की लौ पहुँची, पँची वहीं अजान।
वहीं प्रार्थना के स्वर पहुँचे, पँचे कीर्तन-गान।।

राजनीति के कुटिल खिलाड़ी भेद-भाव फैलाते।
स्वार्थ-सिद्धि हित जहर घोलते, ये दंगे करवाते।।

इनसे रहें सतर्क, एकता का क्रम कभी न टूटे।
अब न हीं अज्ञान, शान्ति की निधियाँ हरगिज लूटे।।

स्वर्णिम हो भविष्य भारत का स्वर्णिम रहा अतीत।
कंठ-कंठ से गूँजे जग में मानवता के गीत।।

82

लुटे घरों की तन्हाइयाँ

– **हरकीरत हकीर***

लुटी-लुटी हैं सरहदें, धुआँ-धुआँ है आसमाँ...
डरी-डरी है बस्तियाँ, डरा-डरा सा है समा।

फूल दिखते नहीं किसी शजर पे, ज़ख्म उगे हैं हर शाल पे
ये कैसी जमीं हैं जहाँ उगती हैं, फसल के बदले गोलियाँ।

सहमी-सहमी सी है सबा, चाँद का भी है रंग उड़ा
ये कौन लिए जा रहा है, मेरे शहर की रोशनियाँ?

धमकी, धमाके, लूट, कत्ल, दहशत, अपहरण
है चारों ओर अमनों-चैन की बर्बादियाँ।

---

* **हरकीरत हकीर** – हिन्दी, पंजाबी तथा असमिया में काव्य, आलेख, कहानियों का लेखन व अनुवाद --- 'इक-दर्द' काव्य संग्रह प्रकाशित (2007) --- आकाशवाणी एवं दूरदर्शन से काव्यपाठ --- पूर्वोत्तर हिन्दी अकादमी, शिलांग, द्वारा 'डॉ. महाराज कृष्ण जैन स्मृति पुरस्कार' (2008), ग्वालियर साहित्य एवं कला परिषद, ग्वालियर, द्वारा 'काव्य शिरोमणि' (2009) एवं श्रेष्ठ गज़ल लेखन के लिए 'दुष्यंत कुमार' सम्मान, कवर्धा पुष्पगंधा प्रकाशन, छत्तीसगढ़, द्वारा 'महादेवी स्मृति सम्मान', राष्ट्रीय राजभाषा पीठ इलाहाबाद द्वारा 'भारती भूषण सम्मान' एवं अनेक साहित्यिक संस्थाओं द्वारा सम्मानित --- संप्रति, गृहणी।

देश एक, एक हैं हम सब

बेखौफ फिरते हैं आतताई लिए हाथों में खंज़र
है मेरे हाथों में खूं से सनी रोटियाँ।

ज़र, जमी, मज़हब, सियासत, भेद-भाव
इन मज़हबों के झगड़ों में खुदा भी हुआ है बेनकाब।

बता मैं कैसे मनाऊँ जश्ने-आजादी अयं 'हीर'
रोता है दिल देख उन लुटे घरों की तन्हाइयाँ।

83

ओ अर्न्तयामी एक है

– **विजय गुप्त***

अनगिनत सितारे जिसके आंचल में
वो आसमान एक है।
असंख्य किरणें जिसके प्रकाश की
वो दिनमान एक है।

पुष्प रंग बिरंगे, खिलने का
विधान एक है।
एक धरा है, एक गगन है
युग की गति तान एक है।

मानव कितने हिस्सों में बंट गया,
लेकिन सबका भगवान एक है।

---

* **विजय गुप्त** – कवि, नाटककार, चित्रकार एवं शिक्षाविद् --- सूखी डाली सूखे फूल (उपन्यास), शाख मत चटकाओ (नाटक), ज्योतिपुंज महर्षि दयानंद (नाटक), बालगीत, स्वर और संस्कार (दो खंड), पंखुड़ियाँ, अनुगूँज, अन्तर्मन (काव्य संकलन), खोया हुआ कश्मीर, एक फूल प्यार का एवं अन्य रचनाएँ प्रकाशित --- आडियो कैसेट 'कलियों की मुस्कान' का निर्माता --- अनेक गीत एवं नाटक मंचित और रेडियो द्वारा प्रसारित --- परिवार कल्याण एवं स्वास्थ्य मंत्रालय द्वारा, 'हर सपना हो साकार' गीत पर सर्वश्रेष्ठ पुरस्कार और साहित्य सम्मान से सम्मानित।

देश एक, एक हैं हम सब

कितने डिब्बे जिस गाड़ी के
उनका इंजन चालक एक है।

लहरों के जो पार ले जा रहा
उस नैया का नाविक एक है।
विश्व चल रहा जिसके संकेत से
इन सबका संचालक एक है।

तन के भीतर एक ही मन
इस मन का मालिक एक है।
एक ही गीत को गा रहे जो
वो गायक अनेक हैं।

भिन्न-भिन्न समूहों के आगे
नायक कई अनेक हैं।
पीड़ा को दूर करे जो
यूं तो सहायक अनेक हैं।

अनेकता में एकता का सूत्र पिरोए
वो सबका मालिक एक है।
सात रंग हैं जिस वृत्त के
वो इन्द्रधनुष तो एक है।

सात रंग जिसकी उज्ज्वलता में
वो प्रकाश तो एक है।
असंख्य पतंगे जिस आँगन में उड़ें
वो आकाश तो एक है

युग-युग से जिस पर सबकी आस्था
    उस मालिक पर विश्वास एक है।
हम सबका मालिक एक है
    पुष्प अनेक हैं गूंथे हुए

सम्मान का द्वार तो एक है
    लहरा लहराकर वृक्ष गा रहे
उनकी बहार तो एक है
    कहां प्रतिभा, गिन सकूं उपकार

असंख्य अनन्य रचनाएं जिसकी
    वो सृजनहार तो एक है
आप सब दिखने में भिन्न हैं
    पर भीतर प्यार-सत्कार एक है

हम सबका मालिक एक है
    ओ अर्न्तयामी एक है।

84

मन्दिर-मस्ज़िद के झगड़ों में समय न गंवाओ रे...

– उमा श्री*

सर्वधर्म का घर घर जाकर,
दीप जलाओ रे,
अमन के गीत गाओ रे
मिलन के गीत गाओ रे...

भारत ऐसा बाग है जिसमें,
हर मज़हब के फूल,
अपनों पर क्यों उठा रहे हो,
तलवारें त्रिशूल,
नादानों के घर-घर जाकर ये समझाओ रे...

---

* **उमा श्री –** एम.ए., एम.एड. --- गीत-गज़ल व हास्य-व्यंग लेखन --- सरिता, मुक्ता, गृहशोभा, मनोरमा, सरससलिल आदि पत्रिकाओं में गीत व सामायिक रचनाओं का प्रकाशन --- काव्यमंचों से सस्वर रचना पाठ --- 1986 से भोपाल आकाशवाणी व दूरदर्शन से काव्यपाठ --- उज्जैन के टेपा हास्य कविसम्मेलन में और जयपुर, मेरठ, इंदौर तथा बस्ती में सम्मानित --- सर्व धर्म एकता के प्रति समर्पित।

गुरुद्वारे रामायण हो,
गिरजाघर में अरदासें,
प्राणवायु में घुली हुई,
आयतों सी हैं ये श्वासें,
मन्दिर–मस्ज़िद के झगड़ों में समय न गंवाओ रे...

चिनगार नफ़रत की बुझा दो,
चली हर तरफ आँधी,
लापरवाही में खो बैठे,
इन्दिरा और गाँधी,
नेताओं की शतरंजी चाल से देश बचाओ रे...

मुस्लिम, सिक्ख, ईसाई के बांधे,
हिन्दू बहना राखी,
चारों धर्म मनायें मिलकर,
ईद और बैशाखी
अपने देश में ऐसी कोई रीत बनाओ रे...

85

कोई किसी के धर्म का अपमान मत करो

– अब्दुल समद राही*

इन्सानियत के नाश का सामान मत करो
कोई किसी के धर्म का अपमान मत करो।

दो दिन की जिन्दगी है ऐ दोस्तो फ़क्त
इसमें खराब आपका ईमान मत करो।

सहने चमन में रोनको खुश्बू इन्हीं से है
कलियों को आप तोड़ के बेजान मत करो।

कोशिश करो की खिलते रहें फूल हर तरफ़
मेरे चमन को दोस्तों वीरान मन करो।

राही इसी का नाम है इन्सानियत फ़क्त
दुनिया में तुम किसी को परेशान मत करो

---

* **अब्दुल समद राही** – दोस्ती का हक, भारत देश हमारा है, बज गई घण्टी, अपना साया, पीड़ रौ परनालौ, रिस्ते ज़ख़्म, ईद मिलन आदि किताबें प्रकाशित --- शहंशाह गज़ल सम्मान, अमीर खुसरो स्मृति सम्मान, स्व. हरिठाकुर स्मृति सम्मान, साहित्य श्री सम्मान, भारत गौरव रत्न, स्व. सुरिन्द्र कौर स्मृति सम्मान और सारस्वत साहित्य सम्मान से सम्मनित तथा भारतीय रेडक्रास सोसायटी पाली, ब्लॉक साक्षरता समिति सोजत और महावीर इन्टर नेशनल सोजत द्वारा प्रशस्ति पत्र --- संप्रति, प्रधान संपादक, शबनम ज्योति।

86

युग-युगों से जल रहा, सद्‌भाव का पावन दिया

– डॉ. रामसेवक शुक्ल*

युग-युगों से जल रहा, सद्‌भाव का पावन दिया
यह नहीं बुझता कभी, तूफान आते ही रहे हैं,
मेघ के कितने थपेड़े, इस दिये ने ही सहे हैं;
आज तक जीवित बना है सिर्फ इतनी टेक पर,
पर्वतों जैसे अँधेरे इसकी ठोकर से ढ़हे हैं।
इस 'दिये' ने जब दिया है, बस उजाला ही दिया।
युग-युगों से जल रहा, सदभाव का पावन दिया।।

दे रहा सन्देश यह, पथ को दिखाना ज़िन्दगी है,
तम स्वयं पीकर उजाले को उगलना ज़िन्दगी है;

---

* **डॉ. रामसेवक शुक्ल –** एम.ए., एल.टी., डी.ओ.एम.एच., डी.एम.एम.एच --- महामहोपाध्याय (मानद उपाधि) --- लेखों, कहानियों, कविताओं के अलावा विभिन्न विषयों पर विशेषकर होम्यो. चिकित्सा पर लगभग 25 पुस्तकें प्रकाशित --- प्रधान सम्पादक, मासिक 'ठेंगे पर सब मार --- अंग्रेजी भाषा का लेक्चरर, रेलवे में गार्ड, रेलवे की मजदूर यूनियन का वरिष्ठ पदाधिकारी तथा डिफेंस काउंसिलर आदि पदों पर रहे --- संप्रति, होम्योपैथ चिकित्सक।

आदमी जब आदमी का शत्रु बनकर जी रहा हो,
हर हृदय में प्यार की लौ बन मचलना जिन्दगी है।
इन्सानियत का हित सदा करने का इसने व्रत लिया।
युग-युगों से जल रहा सद्भाव का पावन दिया।।

जिन्दगी सुर में बंधी मधु-रागिनी अब गाएगी,
जिसको सुन-सुनकर सदा, शैतानियत थर्राएगी;
बात कुछ ऐसी बनेगी, नफ़रतों के दौर में,
गंध जिसमें मनुजता के प्रेम की ही आएगी।
वह अमर होता सदा, उपकार करते जो जिया।
युग-युगों से जल रहा, सद्भाव का पावन दिया।।

87

हम हैं केवल हिन्दुस्तानी

– अनिता श्रीवास्तव 'तमन्ना'*

तुम हिन्दू, मुस्लिम, सिक्ख, ईसाई मंगता हो या दानी
कह दो दिल पे रख के हाथ हम हैं केवल हिन्दुस्तानी।

ईदों, दीवाली और क्रिसमस खूब मनाये हमने
हम हैं किस मज़हब के ये सब भेद बताये हमने
पर सबसे पहले इसां हैं बात नहीं ये मानी
कह दो दिल पे रखके हाथ हम हैं केवल हिन्दुस्तानी।।

अपने-अपने मज़हब से हमने क्या अब तक सीखा
क्या ईमां के जल से हमने अपने दिल को सींचा
मची हुई है अब तक क्यूं हर मोड़ पे खींचातानी
कह दो दिल पे रखके हाथ हम हैं केवल हिन्दुस्तानी।।

मनाके रस्में भुलाके कसमें हम खुद पे इतराये
पर हम अपने दुष्कर्मों पे खुद कितना पछताये

---

* **अनिता श्रीवास्तव 'तमन्ना'** – शायर कवियत्री --- एम.ए. (हिन्दी साहित्य), उर्दू स्क्रिप्ट में डिप्लोमा --- 1988 से मुशायरों, कवि सम्मेलनों में शिरकत --- गज़ल संग्रह के लेखक --- ई.टी.वी. उर्दू चौनल से मुशायरे पाठ --- अनेक आंचलिक, राष्ट्रीय संस्थाओं से सम्मानित --- संप्रति, शासकीय सेवा एवं सचिव, उर्दू संस्था जबलपुर 'बज़्मेसुखन'।

देश एक, एक हैं हम सब

ताज पहन के सम मज़हब का चाल चलें सुलतानी
कह दो दिल पे रखके हाथ हम हैं केवल हिन्दुस्तानी।।

हम हिन्दू हैं तुम मुस्लिम हो वो सिक्ख-ईसाई
हमने खुद अपनी नस्लों को बात ये रोज बताई
पकाके रोटी आदर्शों की हमने की मनमानी
कह दो दिल पे रखके हाथ हम हैं केवल हिन्दुस्तानी।।

भूल गये हम कैसे हमने आज़ादी ये पाई
खुद आपस के झगड़ों से इस घर को आग लगाई।
दहशतगर्दी अब तो घर घर करती है मेहमानी
कह दो दिल पे रखके हाथ हम हैं केवल हिन्दुस्तानी।।

रोज़ सियासी चालों का क्यूं उठता है तूफान
दिल दिल्ली का दुखता है रोता है हिन्दुस्तान।
जो है तमन्ना हाल वतन का उसमें है हैरानी
कह दो दिल पे रखके हाथ हम हैं केवल हिन्दुस्तानी।।

88

वो है मेरा हिन्दुस्तान

– **खुर्शीद नवाब***

जिस धरती की, हूँ सन्तान, मन, धन उस पे कुर्बान
सब से ऊँचर जिसकी शान, वो है मेरा हिन्दुस्तान

हिन्दू, मुस्लिम उसके पूत, जिनके रिश्ते हैं मज़बूत
प्यार की माला, प्रेम का सूत, दुश्मन के, हम हैं यमदूत
करूँ न्यौछावर जिस पर जान, वो है मेरा हिन्दुस्तान

इस माटी का तिलक करूँ, इसकी खातिर, जिऊँ मरूँ
शत्रुओं से नहीं डरूँ, पाँव मैं उसके सर पे धरूँ
सदा करूँ जिसका गुणगान, वो है मेरा हिन्दुस्तान

दीन, दुखी के गले लगूँ, मानवता का पाठ पढ़ूँ
राष्ट्र प्रेम के गीत सुनूँ, धरती माँ को नमन करूँ
धर्म मेरा, जो है ईमान, वो है मेरा हिन्दुस्तान

---

* **खुर्शीद नवाब** – हिंदी, उर्दू, राजस्थानी भाषा और साहित्य की सभी विधाओं में गीत, गज़ल, नाटक, क्वाली आदि में अनेक रचनाएँ प्रकाशित --- संप्रति, अध्यक्ष, अदबी संगम संस्थान उदयपुर, सचिव, राजस्थानी भाषा मान्यता संघर्ष समिति उदयपुर संभाग और सेवा निवृत्ति शिक्षक।

देश एक, एक हैं हम सब

अबला नारी या बेवा, पशु-पक्षी की कर सेवा
मानव हित मीठा मेवा, सबके हैं, देवी देवा
हर प्राणी का जहाँ सम्मान, वो है मेरा हिन्दुस्तान।

89

भूलो भेद सिख ईसाई हिन्दू मुसलमान के

– डॉ. सुशील गुरू*

हमने बड़ी भूल की, जो बातें करी शूल की,
छोड़ बातें मूल की, क्षमा प्रदान कीजिए।
काम, क्रोध, लोभ, मोह का हमें हुआ है बोध,
कर सकें जो शोध, हमें ऐसा ज्ञान दीजिए।

राष्ट्र का उठा सवाल, छोड़िये सभी मलाल,
अर्थहीन भेदभाव को विराम दीजिए।
धर्म की विजय के लिए सत्य के उदय के लिए,
हाथ जोड़ देशबन्धु को प्रणाम कीजिए।।

सागर, पहाड़, नदी, नाले, वन, उपवन,
हिमगिरि के प्रदेश देश न कहलाते हैं।

* **डॉ. सुशील गुरू** – काव्य संग्रह 'मन के गीत' और 'गीत साधना' प्रकाशित --- काव्य कलश, शब्द कलश और मधु कलश का संपादन --- 1996 में 'रंजनकलश शिव सम्मान' का संस्थापन --- साहित्य सम्मान-2003, राष्ट्रगौरव सम्मान-2007, लेखक मित्र सम्मान 2007, साहित्य भूषण-2009 आदि सम्मानों से विभूषित।

देश एक, एक हैं हम सब

श्रमजीवी, बुद्धिजीवी, कर्मचारी, अधिकारी,
लाखों बन जाएँ पर देश बनाते हैं।

देश तो बनाती सदा वीर कोख जननी की,
जिसके सपूत जो शहीद कहलाते हैं।
जपते रहते हैं सदा भारत की जय जय,
फाँसी पर चढ़ जाते हैं, दीवालों में चिन जाते हैं।।

ईद हो, दीवाली हो, दशहरा हो या बड़ा दिन,
दीप तो जलाने हैं, सभी को आत्म ज्ञान के।
मेरी आपा जान राखी बाँधे श्री राम के,
या राधा जान राखी बाँधें श्री राम के,
या राधा सीता राखी बाँधें श्री रहमान के।

मस्ज़िद में बाइबिल, गीता की आयतों को पढ़ो,
मन्दिर में श्लोक, गुरू ग्रन्थ और कुरान के।
गंगाजल जमजम पियो सब संग-संग,
भूलो भेद सिख, ईसाई, हिन्दू, मुसलमान के।।

गौरव पुण्य भूमि के भरत तुम भारत के,
नामकरण देश का हुआ तुम्हारे नाम पर।
बाँटे भाई को धर्म और जातियों में,
फूँक देना देशद्रोहियों को श्मशान पर।

एक एक रहोगे विदेशी लूट लेंगे फिर,
मुट्ठी बाँध ली तो उतर आयेंगें सलाम पर।
बन के दुलारे पंडित, मुल्ला, पीर, पादरी के
बोझ मत बनो प्यारे मेरे हिन्दुस्तान पर।

भारत को ऐसे भरत कुछ चाहिए,
जो लहू से बना दे मान चित्र हिन्दुस्तान का।
शिवा का प्रताप का या गाँधी का विश्वास ले के
भेद-भाव मिटा दे जो हिन्दू मुस्लमान का।

रात-दिन के समान एक दूजे की है जान,
अर्थ वही वेद का जो अर्थ है कुरान का।
एक जुट होकर उठेंगे जिस रोज दोनों,
विश्व में लहरायेगा तिरंगा हिन्दुस्तान का।।

90

कितना मुश्किल है धार्मिक होना

– डॉ. रामनिवास 'मानव'*

धर्म की लादी ढ़ोते हुए भी,
हिन्दु, मुस्लिम या कि सिक्ख,
जैन, बौद्ध या ईसाई
होते हुए भी
कितना मुश्किल है धार्मिक होना!

जैसे कोई शिल्पी
गढ़ता रहे शब्द सुन्दर
या रचता रहे छन्द टकशाली,
पर शब्द या छन्द की
रचना के बाद भी
कितना मुश्किल है कवि होना !

---

* **डॉ. राम निवास मानव** – हिन्दी में एम. ए., पीएच. डी. तथा डी. लिट् --- हरियाणवी साहित्य के प्रथम शोधार्थी तथा अधिकारी विद्वान --- विभिन्न विधाओं की कुल 35 से अधिक कृतियाँ प्रकाशित --- देश-विदेश की अनेक प्रमुख भाषाओं में विविध रचनाओं का अनुवाद --- एम. फिल तथा पीएच. डी. के सत्तर से भी अधिक शोध छात्र-छात्राओं का कुशल निर्देशन --- देश-विदेश की शताधिक संस्थाओं द्वारा सम्मानित --- अनेक प्रतिष्ठित सम्मान, पुरस्कार तथा मानद उपाधियाँ प्राप्त।

धर्म या कविता
कहां है विधान में!
अभिधान या परिधान में!!
जैसे बहुत मुश्किल है
फूल का पराग में, खुशबू में बदलना,
वैसे ही बहुत मुश्किल है
विचार की धर्म में गति
और भाव की कविता में परिणति।

91

अपने हैं जी लोग सभी

– श्याम 'अंकुर'*

सबके हाथ निवाले हों अपने हैं जी लोग सभी।
अब ना दिल में छाले हों अपने हैं जी लोग सभी।

जीना सीखें मानव बन दूर रहे हम दंगों से,
दहशत को ना आले हों अपने हैं जी लोग सभी।

द्वेष तमों को त्यागें औ उत्थानों की बातें करें,
सुख के रोज़ उजाले हों अपने हैं जी लोग सभी।

खूनी होली क्या देगी दंगें चैन छीनते हैं,
ना हद ना ही पाले हों अपने हैं जी लोग सभी।

हम भी मानव कहलायें आँसू पौंछे भाई के,
चुभते शूल निकाले हों अपने हैं जी लोग सभी।

---

* **श्याम 'अंकुर'** – बी.एस.सी. (जीव विज्ञान), एम.ए. (इतिहास), बी.एड।

92

मन्दिर भी ज़रूरी है मस्ज़िद भी ज़रूरी है

– सागर सियालकोटी*

मन्दिर भी ज़रूरी है मस्ज़िद भी ज़रूरी है
टूटे न किसी का दिल बेहद ये ज़रूरी है।

मन्दिर की दीवारों पर पीपल का घना साया
मस्ज़िद में नमाज़े-सफ़ ज़ाहिद भी ज़रूरी है।

हिन्दू हो या मुस्लिम, सिख हो या ईसाई,
सब मज़हबी क़रीनों में सरहद भी ज़रूरी है।

पर मुर्दा ख्यालों को ईमान की दौलत दे
तसलीस ज़रूरी है वाहिद भी ज़रूरी है।

'सागर' के गुनाहों को हर बार मुआफी दे
दुनिया की वकालत को मुर्शिद भी ज़रूरी है।

---

* **सागर सियालकोटी (हिन्द राज भगर)** – स्नातक (साहित्य) --- 'एहसास', उर्दू शायरी प्रकाशित --- संप्रति, मैनेजर, इण्डियन ओवर सीज बैंक, लुधियाना, अदीब इंटरनेशल (साहिर कल्चरल अकादमी) का सदस्य और नवरंग व लिटरेरी सोसाइटी का जनरल सेक्रटरी।

93

सबका खुदा एक है

– डॉ. रसूल अहमद 'सागर'*

सच तो ये है कि सबका खुदा एक है।
कर्म से, धर्म से हम अलग ही सही, देश हित में मगर हर सदा एक है।
सारी दुनिया को परिवार अपना समझ, ज़िन्दगी का ये भी फ़लसफ़ा एक है।

हम में हिन्दू भी हैं और मुसलमाँ भी हैं, सिख व ईसाई भी और हैं पारसी।
धर्म के नाम पर हम बटेंगे नहीं, पूरे भारत का ये मुद्दा एक है।

सूफ़ी संतों ने जो दर्स हमको दिया, हम सी राहत पर चल रहे हैं अभी,
एकता अपनी कोई मिटाएगा क्या, हिन्दू–मुस्लिम की जब भावना एक है।

---

* **डॉ. रसूल अहमद 'सागर'** – समन्वयवादी प्रतिनिधि कवि के रूप में पहचान --- पांच मौलिक तथा दस सम्पादित काव्य कृतियाँ अब तक प्रकाशित --- देश प्रेम, मज़हबी तालमेल, राष्ट्रीय क़ौमी एकता, साम्प्रदायिक तथा भाषाई सौहार्द हेतु किए गए सृजन पर राष्ट्रीय स्तर का बारह पुरस्कार प्राप्त और देश के चौदह प्रदेशों से आपको एक सौ से अधिक सम्मान प्राप्त --- आपकी रचनाओं पर बुन्देलखंड विश्व विद्यालय, झाँसी, में शोधकार्य (पी. एच.डी.) चल रहा --- भारत-पाकिस्तान पीपुल्स फोरम झाँसी शाखा के सदस्य --- आपकी शायरी में इन्सानियत की सच्ची खुशबू है।

कान दे करके फ़िरक़ापरस्तो सुनो, फ़र्क की ये सियासत न चल पाएगी
तुमको मिट्टी में इक दिन मिला देंगे हम, अपने हाथों में ये भी कला एक है।

अपनी तहज़ीब की बेहतरी के लिए, हमने हरदम सबक एकता का दिया
ढंग जीने के कुछ भी रहे हों मगर, भाई-भाई से मिलकर रहा एक है।

पालकर ज़ेहन में हमने हवमों-गुमाँ, आदमी-आदमी से अलहदा किया
ये न सोचा कि आदम की औलाद से, मनु की सन्तान का सिलसिला एक है।

चाहे ईश्वर कहो, चाहे अल्ला कहो चाहे तुम गॉड कहकर पुकारो कभी
फ़र्क 'सागर' ज़ुबानों से आता नहीं, सच तो ये है कि सबका खुदा एक है।

94

मज़हब, भाषा, जाति-पाँति के भूलें सभी विधान

– डॉ. ब्रह्मजीत गौतम*

हमारा प्यारा हिन्दुस्तान
देव-लोक से ज्यों धरती पर
उतरा शोभा-यान।

यह अपनी आँखों का तारा
प्राणों से भी हमको प्यारा
वीर शहीदों की आहुति का
यह अनुपम वरदान।

---

* **डॉ. ब्रह्मजीत गौतम** – कविता, गीत, गज़ल, लघुकथा, निबन्ध, व्यंग्य, समीक्षा, एकांकी, रेडियो, नाटक, आदि लेखन-विधाओं में प्रवीण --- अंजुरी (काव्य संग्रह), कबीर-काव्य में प्रतीक-विधान (शोध-ग्रन्थ), कबीर-प्रतीक-कोश (कोश-ग्रंथ), इत्यादि कृतियाँ प्रकाशित --- 'साहित्य-सेवी' (बिजनोर), 'कविवर मैथिलीशरण गुप्त सम्मान' (मथुरा), 'साहित्यश्री' (जबलपुर), 'राष्ट्रभाषा-रत्न' (कप्तानगंज, कुशीनगर), 'शाने अदब' (बज़्मे सईद, झबुआ), 'हिन्दी साहित्य गौरव' (ठाणे, महाराष्ट्र), 'वतन के राही कविरत्न' (दुर्ग) आदि पुरस्कारों एवं सम्मानों से विभूषित --- संप्रति, म.प्र. शासन के उच्च शिक्षा विभाग में हिन्दी प्रोफेसर के पद से अवकाश प्राप्त और स्वतंत्र साहित्य लेखन में लगे।

देश एक, एक हैं हम सब

हिन्दू, मुस्लिम, सिख, ईसाई
सभी बराबर, भाई-भाई
यह संदेश सुनाती बाईबिल,
गीता और कुरान।

यह गौतम, गाँधी की धरती
विश्व-शान्ति का पोषण करती
ईसा, मूसा, नानक सब का
यह करती सम्मान

आओ, इसका रूप सँवारें
घर-आँगन, हर कुटी बुहारें
मज़हब, भाषा, जाति-पाँति के
भूलें सभी विधान।

95

दानवता पर हो मानवता की जीत

– अशोक 'अंजुम'*

काहे की रस्साकशी, काहे की तक़रार।
सब धर्मों का, सार है, प्यार प्यार बस प्यार।।

भेदभाव सब भूलकर, रचो प्रेम के गीत।
दानवता पर हो तभी, मानवता की जीत।।

बरछे, भाले, लाठियाँ, गड़से, छुरे, कटार।
सब हैं आगे 'प्रेम के, बेबस औ' लाचार।।

भौतिक–सुख की प्राप्ति को, बौराया इन्सान।
और कहीं गुम हो गई, मानव की पहचान।।

इक–इक लकड़ी हो अलग, पल में खण्डित होय।
हो जायें जब एक सब, मिटा सके ना कोय।।

---

* **अशोक 'अंजुम'** – 12 मौलिक एवं 32 संपादित पुस्तकें और सैकड़ों समवेत संकलनों में रचनाएँ प्रकाशित --- त्रैमासिक 'अभिनव प्रयास' के सम्पादक --- दर्जनों प्रतिष्ठित पुरस्कार एवं सम्मानोपाधियाँ --- आकाशवाणी के अनेक केन्द्रों, दूरदर्शन के कई चैनलों तथा देश–भर के काव्य–मंचों पर व्यंग्य कवि, गज़लकार और दोहाकार के रूप में प्रतिष्ठित --- अनेक गायकों द्वारा रचनाओं का गायन --- संप्रति, सन्त फिदेलिस स्कूल में अध्यापन।

हर मुश्किल आसान हो, मिले हाथ से हाथ।
छोड़-छाड़कर द्वेष जो, आ जायें सब साथ।।

मैं पर तो अंकुश लगे, दिल से हों संवाद।
पल भर में मिट जाएँगे, सारे वाद-विवाद।।

ज्यों-ज्यों बढ़ते जा रहे, भौतिक-सुख की ओर।
त्यों---त्यों छूटे हाथ से मानवता का छोर।।

ऊँच-नीच के नाम पर, लड़ना-भिड़ना छोड़।
मिटा न दे ये तुझे, जात-पात का कोढ़।।

मानव बन जाएँ चलो, छोड़े सभी जुनून।
किन्तु खड़ा है राह में, जंगल का कानून।।

देख ताण्डव मौत का, पूछ रहा है यक्ष
हिंस्र जानवर कौन-सा, मानव के समकक्ष?।।

मन्दिर-मस्ज़िद के लिए, तू-तू मैं-मैं रोज।
जिसे खोजता तू वहाँ अपने भीतर खोज।।

96

हिन्दू मुस्लिम सिख ईसाई में इन्सान दिखलाई देता

– डॉ. सुनील कुमार अग्रवाल*

रक्तपात से
यह मिट्टी इतनी संतृप्त है
कि अब मज़हबी उन्माद के
कितने भी रक्तबीज डालो
किगे नहीं फूटने वाले।

अब महज वाजाल से
सनातन सत्य को
नहीं ढ़का जा सकता।

---

* **डॉ. सुनील कुमार अग्रवाल** – दो काव्य संकलन 'अंकुर' एवं 'वक्षमित्र' प्रकाशित --- देश की शीर्ष पत्रिकाओं में कविता, गीत, गज़ल, कहानी, लघुकथा, आलेख, आदि रचनाएँ प्रकाशित --- विविध विधाओं पर तीस से अधिक संकलनों में सहयोगी प्रकाशन --- राष्ट्रीय महत्व की साहित्यिक एवं सांस्कृतिक संगोष्ठियों में सहभागिता --- दो दर्जन संस्थाओं द्वारा पुरस्कृत --- अंतरराष्ट्रीय शान्ति प्रबोधक महासंघ का दिया सम्मान तथा हिन्दी सेवी सहस्राब्दि सम्मान विशेष उल्लेखनीय --- संप्रति, एसोसिएट प्रोफेसर, जन्तु विज्ञान विभाग, एस.एम.पी.जी. कॉलेज, चन्दौसी, मुरादाबाद।

संवेदनात्मक आर्द्रता के आगे
सूरज भी नतमस्तक है।

अब तो स्वयं से ही युद्धरत है
आम आदमी।
स्वयं ही विजयी
और स्वयं ही पराजित।

आरोप को
मिथ्या सिद्ध करने के अपेक्षा
समर्पण सदैव आसान है।
गुनाह कबूल करने से
पाप की रंगत फीकी पड़ जाती है
तब वैमनस्य की आँधी नहीं
सौहार्द की मीठी छुअन आती है।

इन्सानियत हो तो
हिन्दू, मुस्लिम, सिख, ईसाई में
इन्सान दिखलाई देता है
आ गले लग जा
हर मीत यही कहता है।

97

आज अपनों से खतरा हुआ देश को

– डॉ. रसूल अहमद 'सागर'*

जाग! मेरे वतन! जाग! मेरे वतन!!
अपनी रक्षा का कर ले कोई अब जतन।

इन्क़िलाबी किरन तुम हिमालय को दो
मस्ज़िदों को अमन, सुख शिवालय को दो
आदमी आदमी का न दुश्मन रहे
खात्मा खुल फ़िराशों का कर रिपु-दमन! जाग मेरे...

बढ़ रही खूब फ़िरकापरस्ती यहाँ
फ़ाका मस्ती यहाँ, तंग दरस्ती यहाँ
आज नानक की धरती परेशान है
तुम उठो और करो क़ौम का संकलन! जाग मेरे...

---

* **डॉ. रसूल अहमद 'सागर'** – समन्वयवादी प्रतिनिधि कवि के रूप में आपकी पहचान राष्ट्रीय स्तर पर --- पांच मौलिक तथा दस सम्पादित काव्य कृतियाँ अब तक प्रकाशित --- देश प्रेम, मज़हबी तालमेल, राष्ट्रीय क़ौमी एकता, साम्प्रदायिक तथा भाषाई सौहार्द हेतु किए गए सृजन पर राष्ट्रीय स्तर के बारह पुरस्कार प्राप्त और चौदह प्रदेशों से आपको एक सौ से अधिक सम्मान प्राप्त --- आपकी रचनाओं पर बुन्देलखंड विश्व विद्यालय झाँसी में शोधकार्य (पी.एच.डी.) भी चल रहा --- संप्रति, भारत-पाकिस्तान पीपुल्स फोरम, झाँसी शाखा, के सम्मानित सदस्य।

अब गरीबों को जीने का भी हक़ नहीं
मुफ़लिसों को मयस्सर कफ़न तक नहीं
छीन लो हक़ अमीरों से अपने उठो
तुमको करनी है रावण की लंका-दहन! जाग मेरे...

लीडरों के बुरे ब चलन हो गए
राहबर जो रहे, राहज़न हो गए
आज अपनों से खतरा हुआ देश को
बेचकर खा न जाएँ ये संसद-भवन! जाग मेरे...

नेक इन्सान की कोई क़ीमत नहीं
पहले जैसी गुलिस्ताँ की ज़ीनत नहीं
रहनुमाओं के ईमान बिकने लगे
हो रहा है सियासत का नैतिक पतन! जाग मेरे...

जाग! मेरे वतन! जाग, मेरे वतन,

98

धर्म कोई हो, सबका हिन्दुस्तान एक है

– कृष्ण कुमार*

सोच-सोच कर मैं अक्सर होता हैरान!
सोच-सोच कर मैं अक्सर होता हैरान

धर्म कोई हो, खुदा और भगवान एक है
धर्म कोई हो, सब का अन्तिम ज्ञान एक है
हिन्दू, मुस्लिम, सिक्ख, ईसाई कुछ भी कह लो
धर्म कोई हो, सबका हिन्दुस्तान एक है।

हम जाने क्यों आपस में लड़ते मरते हैं
आतुर लेने को इक-दूजे की जान!

सब का ईश्वर वही सभी का खुदा वही है
रस्ते अलग-अलग हैं, सबका पता वही है

---

* **कृष्ण कुमार** – तीन उपन्यास और दो कहानी संग्रह प्रकाशित --- 21 संकलनों में कहानियां, कविताएं एवं गज़लें संकलित --- हिन्दी की लगभग 80 पत्र-पत्रिकाओं में असंख्य रचनाएं (कहानियां, गज़लें, कविताएं एवं व्यंग) प्रकाशित --- उपन्यास 'इतिसिद्धम' पर वर्ष 1988 में, 'प्रेमचंद महेश सम्मान' वाणी प्रकाशन, नई दिल्ली से एवं विभिन्न साहित्यिक-सांस्कृतिक संस्थाओं द्वारा सम्मानित।

रक्त, माँस, अस्थि-मज्जा सब में इक जैसी
सब को बक्षी मिट्टी, पानी, हवा वही है!

आपस का सद्भाव भुलाकर हमने क्यों
दिल में बैठा रक्खा है झूठा अभिमान!

नहीं भूलते फूल गंध अपनी फैलाना,
नहीं भूलती नदी निरंतर बहते जाना,
नहीं भूलता सूरज रोज़ सवेरे उगना,
नहीं भूलता पानी सबकी प्यास बुझाना!
जाने हम इन्सान भूल जाते हैं कैसे
इन्सानों के बीच बने रहना इन्सान!

नहीं लौटते बचपन और जवानी जैसे,
नहीं लौटता वक्त, नदी का पानी जैसे,
नहीं लौटते शब्द जीभ से फिसल गए जो
नहीं लौटती यादें बहुत पुरानी जैसे!

हम जाने क्यों आदिम युग को लौट रहे हैं,
स्थापित करने को निज बर्बर पहचान!
सोच-सोच कर मैं अक्सर होता हैरान!
सोच-सोच कर मैं अक्सर होता हैरान!

99

भारत की सरजमीं को बंटने न देंगे हम

– **महमूद खान अब्बासी***

भारत की सरजमीं को बंटने न देंगे हम।
आपस में भाई-भाई को कटने न देंगे हम।।
अफवाहें फिर उठी हैं दंगा-फसाद की,
शहरों को अब मसान में सिमटने न देंगे हम।।

फलदार ये दरख़्त है हिंदोस्तां मेरा,
शाखों में अब किसी को झपटने न देंगे हम।।
काटेंगे उन जुबानों को एकता के नाम पर,
बंटवारे के सवाल फिर रटने न देंगे हम।।

सौंगध हिरोशिमा और नागासाकी की,
दुनिया में बम तबाही के फटने न देंगे हम।।
बरबाद हो न जाए ये आपस की फूट से,
अपने वतन की आबरू लूटने न देंगे हम।।

'हमसफर' कसम खाये सभी नये ख्वाब के लिए,
दिल अब किसी जबान का उचटने न देंगे हम।।

---

* **महमूद खान अब्बासी** – देश की अनेक पत्रिकाओं में गज़लें प्रकाशित।

100

मानवता ही एक धरम हो

– खुर्शीद नवाब*

मानवता से बढ़कर ऊंचा, नहीं है कोई–धरम।
मानवता के पथ पर चल कर, अच्छा करो करम।।

मानव सेवा, मानवहित ही, अपना लक्ष्य बना लो।
मानव की पीड़े को हर कर, जीवन स्वर्ग बना लो।।

मानव के सन्तान की चिन्ता, मानव को है करना।
मानवता के शत्रुओं से, कभी नहीं है डरना।।

मानव मन्दिर में रखना है, मानवता की सूरत।
मानवता ही 'विश्व विजय' की, एक अकेली सूरत।।

'मानवता' से पूजे जाते, ऋषि, मुनि अवतार।
'मानवता' 'कुर्आन' की शिक्षा, यही है 'गीता' सार।।

---

* **खुर्शीद नवाब –** हिंदी, उर्दू, राजस्थानी भाषा और साहित्य की सभी विधाओं में गीत, गज़ल, नाटक, कव्वाली आदि में अनेक रचनाएँ प्रकाशित --- संप्रति, अध्यक्ष, अदबी संगम संस्थान उदयपुर, सचिव, राजस्थानी भाषा मान्यता संघर्ष समिति उदयपुर संभाग और सेवा निवृत्त शिक्षक।

मानव में भगवान बसे हैं, मानव ईश्वर रूप।
मानवता की पूजा से ही, खिले प्रेम की धूप।।

मानवता से, दोष, कपट का, दूर करो अँधियारा।
मानवता की ज्योति जला कर, जग करो दो, उजियारा।।

'मानवता ही मानवता हो', हर मानव के मन में।
प्रेम, प्यार, अनुराग की कलियाँ, खिली रहें जीवन में।।

क्या ऐसा भी युग आएगा, है अगाह, ए ईश्वर।
मानवता ही एक धरम हो, सम्पूर्ण इस धरती पर।।

'मानवता' की ज्योत जलाए रखना तुम खुर्शीद।
होली, दिवाली, क्रिसमस, मिलकर, सभी मनाएँ 'ईद'।।

101

बहे नदी सर्व धर्म सद्भाव की

– डॉ. सौम्या जैन 'अम्बर'*

मेरे भारत वर्ष में
बहे एकता की नदी
सर्व-धर्म सद्भाव की।

भले यहाँ मतभेद हैं
जगह नहीं मनभेद की
कमी नहीं संवेद की।

सरोकार के पेड़ पर
खिले मनुजता के सुमन
महके भारत का चमन।

जल धारा सहयोग की
तन-मन को सिंचित करे
फ़स्लों से उल्फ़त भरे।

---

* **डॉ. सौम्या जैन –** एम.बी.बी.एस; एम.डी. --- अनेक पत्र-पत्रिकाओं में रचनाएँ प्रकाशित।

ईसाई समुदाय की
सच्ची शिक्षा है यही
सेवा कर असहाय की।

मुसलमान उसको कहें
जिसका कुछ ईमान है
वह सच्चा इन्सान है।

सिक्ख उसी को जानिये
जो गुरुवाणी पर चले
जोत मनुजता की जले।

सच्चा हिन्दू है वही
चले धर्म अनुसार जो
करे सभी से प्यार जो

यह ईसाई कैथॅलिक
करता सतत् प्रयास है
करा पूर्ण विकास है।

एम.डी. थॉमस को मिले
क़दम क़दम पर प्यार ही
मान और सत्कार भी

विविध भले मज़हब यहाँ
विविध भले समुदाय हैं
सबके सभी सहाय हैं।

मुद्दत से हम एक हैं
एक रहें चिरकाल तक
यहाँ वहां फैले महक

मानवता द्वारा सदा
मज़हब की पहचान हो
भारत का उत्थान हो

भारत के गुलज़ार में
मज़हब फूल समान हैं
भँवरों के सहगान हैं।

इनके उनके भाव में
तालमेल वह फूल है
सुरभित है अनुकूल है

मज़हब हो कुछ भी भले
मगर परस्पर प्यार हो
रसमय यह संसार हो

अलग वेशभूषा रहे
हमें अलग होना नहीं
दुनिया चाहे जो कहे

हम मज़हब के नाम पर
लड़ें भिड़ें भी किसलिए
मनुज निडर होकर जिए

कौन लड़ाता है हमें
इस पर देना ध्यान है।
एक अगर भगवान है।

हम जो रचनाकार हैं
प्रेम भरी रचना रचें
घृणा द्वेष से हम बचें!

102

पहले तो आप एक इन्सां बने

– श्रीमती संयोगिता गोसांई 'दर्पण'*

सबसे पहले तो आप एक इन्सां बने
बाद में आप हिन्दू मुसलमां बने
कोई ईसाई सिक्ख बौद्ध या जैन हो
मिल के रहने से भारत में सुख चैन हो

मन के सद्भाव व्यवहार में हों प्रकट
औ' न रीत मनुजता के दर्शन का घर
एक दूजे के मज़हब का सम्मान हो
हर कदम पर सदाचार का गान हो

एकता के तराने हों किरदार में
नाम भारत का रौशन हो संसार में
एक दूजे पे हम जां छिड़कते रहें
प्यार की धुन पे हम सब थिरकते रहें

---

* **श्रीमती संयोगिता गोसांई 'दर्पण'** – मैट्रिक (1960) --- 'मन दर्पण' (काव्य संग्रह) प्रकाशित --- गीत, गज़ल, मुक्तक, रुबाइयां, दोहे, आदि काव्य विधाओं में माहिर।

देश एक, एक हैं हम सब

नाम पर हम को मज़हब के लड़ना भी क्यों
जाति के नाम पर भी झगड़ना भी क्यों
आग में हैं घृणा की जो जलते रहे
राख के ढेर में वे बदलते रहे

संकुचित मानसिकता गलत है गलत
हम न भूलें, मकां एक है एक छत
रहनुमाओं के हम जाल में क्यों फँसें
उनकी हर चाल नाकाम हो हम हँसे

दुख में रोएँ नहीं सुख में फूलें नहीं
एक जीवन, जगत एक, भूलें नहीं

103

इन्सान को इन्सान समझना सीखें

– डॉ. श्यामानन्द सरस्वती*

हम वेद का फ़र्मान समझना सीखें
क्या कहता है क़ुर्आन समझना सीखें
इंजील का ऐलान समझना सीखें
इन्सान को इन्सान समझना सीखें।

मज़हब तो कभी आग लगाता ही नहीं
मासूमों के घरबार जलाता ही नहीं
मज़हब को तू बदनाम न कर ऐ रहबर
मज़हब तो कभी बैर सिखाता ही नहीं।

सद्भाव को व्यवहार में लाना होगा
समभाव को आचार में लाना होगा
सौहार्द अगर राष्ट्र में रखना है तो फिर
अपनत्व को किरदार में लाना होगा।

---

* **डॉ. श्यामानन्द सरस्वती** – सत्यम् शिवम् सुन्दरम् (रूबाई संग्रह), सुर बाँसुरी के (गज़ल संग्रह), होते ही अन्तर्मुखी (दोहा संग्रह), रुबाइयाते रौशन (उर्दू रूबाइयात) आदि कृतियाँ प्रकाशित --- गीत, गज़ल, दोहे, जनक छन्द, रूबाई, मुक्त आदि काव्य विधाओं में माहिर।

देश एक, एक हैं हम सब

हर व्यक्ति के मज़हब के लिए नेक रहें
असहाय हैं जो उनके लिए टेक रहें
हर एक को यह बात समझनी होगी
हम एक थे, हम एक हैं, हम एक रहें।

देती हैं सुगन्ध और ही कलियाँ खिलकर
व्यवहार में कलियों की सुरभि शामिल कर
उपवन में कई रंग के होते हैं सुमन
उपवन को बनाते हैं ये सुन्दर मिलकर।

उल्फ़त को हमें दिल में बसाना होगा
समभाव के दीपक को जलाना होगा
मज़हब हैं अगल फिर भी अलग हम हैं कहाँ
क्या होती है एकता दिखाना होगा।

सत्कर्म की राहों पे कदम धरना है
समभाव भी सत्कर्म का ही झरना है
छोड़ें न मनुजता के सहज धर्म को हम
इस धर्म का सम्मान हमें करना है।

महकेगा वतन प्यार का जब चन्दन हो
मज़हब हैं सभी उसके यही दर्शन हो
वह जोति है 'रोशन' की रुबाई, जिससे
भारत ही तो क्या विश्व सकल रौशन हो।

104

सलामत मेरा, हिन्दोस्ताँ रहे

– खुर्शीद नवाब*

यूँ धरती माँ का, मान और सम्मान रख लूँगा
सर पे तिरंगा, देश की पहचान रख लूँगा
खुर्शीद! मातृभूमि के, गौरव के वास्ते
'मैं', खुद ही अपना नाम, हिन्दुस्तान रख लूँगा।

क्या-क्या जतन हैं आज, तिजारत के वास्ते
बरबाद बस्तियाँ हैं इक, इमारत के वास्ते
खुर्शीद! पर, मेरा तो ये, विश्वास अटल है
सर्वस्व लुटा दूँगा मैं, भारत के वास्ते।

कोई मेरा है अपना, मुझे जान से प्यारा
सच मानिये तो, वही, ईमान से प्यारा
लेता हूँ उसका नाम तो, खिल जाती हैं कलियाँ
कोई वतन नहीं है, 'हिदुस्तान' से प्यारा।

---

* **खुर्शीद नवाब** – हिंदी, उर्दू, राजस्थानी भाषा और साहित्य की सभी विधाओं में गीत, गज़ल, नाटक, कव्वाली आदि में अनेक रचनाएँ प्रकाशित --- संप्रति, अध्यक्ष, अदबी संगम संस्थान उदयपुर, सचिव, राजस्थानी भाषा मान्यता संघर्ष समिति उदयपुर संभाग और सेवा निवृत्त शिक्षक।

ये मादरे-हिन्द, मेरा चमन, मेरा चमन है
ये शक, गोया मेरा बदन, मेरा बदन है
हद दर्ज़ा, मोहब्बत मुझे, खुर्शीद है इससे
और क्यों न हो, आखिर ये वतन, मेरा वतन है।

जब तक ज़मीं रहे, खुदाया आसमाँ रहे
मेरे वतन के साये में, सारा जहाँ रहे
दुनिया में, मेरे मुल्क की अज़मत बुलन्द हो
खुर्शीद, सलामत मेरा, हिन्दोस्ताँ रहे।

105

कहां मिलेगा हमें भगवान

– गुरचरण नारंग*

कौन है वोह खुदा
गाड, भगवान, अल्लाह
रहता है कहां, किस देश में
आखिर है वो कौन
औरत है या मर्द है
काला है या गोरा है
सुन्दर है या कुरुप है
और उसकी क्या जाति है?

घट-घट की जानने वाला
पल-पल को जानने वाला
फूलों में रंग भरने वाला,
तितली में रंग भरने वाला,

---

* **गुरचरण नारंग** – उर्दू, हिन्दी, पंजाबी में 1976 से गज़ल, कविता, आदि अखबारों में प्रकाशित --- एक उर्दू गज़ली सीडी में तीन गज़लें गाई गई।

पशु पक्षियों, इन्सानों को बनाने वाला,
क्यूं नज़र नहीं आता
हम उसे केवल महसूस करते हैं
जब कुछ अनचाहा होता है
या जब कुछ अज्ञात घटता है
हमारे अंतर का चोर डरता है।

पूछता है, कहां मिलेगा हमें भगवान
मन्दिर में या मस्ज़िद में
गिरजे में या गुरुद्वारे में
अगर वहां पे मिलते आप
होता न फिर कोई भी निरा
सभी को ही मिल जाते आप
जो सदा आपकी बातें करते हैं
धर्म स्थान में ही रहते हैं
क्यूं नहीं मिले फिर आप उन्हें?

कहां पे खोजें फिर तुमको
भीतर खोजें या बाहर
अगर भीतर है तो छिपा है
छिपा है तो, क्या डरता है
कैसे खोजें, फिर उसको
पूजा से या चिन्तन से,
शायद नहीं मिला बाहर से,
कभी किसी को आज तक,
कहते हैं जिसने भी पाया,
अपने अन्तर में ही पाया,

खुद को खोया इधर ही पाया,
जिन्हें मिला, क्या किया उन्होंने
मिटा पाये वो क्या इन्सान का लालच
बदल पाये कब इन्सानी फितरत
आज भी हम लड़ते हैं
धर्म के नाम पर कभी
जाति के नाम पर कभी
भाषा के नाम पर कभी
देश के नाम पर कभी
सर्वोत्तम है धर्म मेरा
सर्वोत्तम है देश मेरा
सर्वोत्तम मेरी भाषा है।

पानी की है जाति कहो क्या
अन्न की है जाति कहो क्या
खून की है जाति कहो क्या
जब इनकी नहीं कोई जाति
क्यूं हुई फिर मेरी कोई जाति
एक है इन्सां एक ही जैसे
बैठे हुए बारूद के ढ़ेर पे
सहमे हुए, डरे हुए
जाने कब सूरज फट जाये
जाने कब धरती मिट जाये
कब आओगे तुम फिर भगवान?

शायद है अभी इन्तजार आपको
ज़ुल्म के कुछ और बढ़ने के

इन्सान के कुछ और डरने का
वहशत के कुछ और बढ़ने का
क्यूं नहीं सुनाई देता आपको,
मज़लूमों का, पिछड़ों का क्रन्दन
तब आओगे शायद तुम
जब बारूद ये शायद फट जायेगा
बाकी बस कुछ ही बच जायेगा
फिर से नई दुनियां बसाओगे
हर और होगी शायद तब
शान्ति, शान्ति और शान्ति

106

इन्सान को पूजो भगवान सा पाकर

– डॉ. सुनील कुमार अग्रवाल*

भेद, द्वेष, क्रोध, अहं, स्वार्थ सब मिटे
अंतस से कलुश भाव और कालिमा हटे
ज्ञान चक्षु खुलते सदा ही सद्प्रवृत्ति से
ईश भी मिलते यहाँ पर सत्य वृत्ति से।

ईश्वर को जान जाओ तो समीपता पाओ
ईश का दीदार प्रतिफल कण में ही पाओ
मनसा वाचा कर्मणा से खुद को शुद्ध ही रखो
प्रसाद सारे सुख का ही संसार में चखो।

अंधकार गर्त और संकीर्ण न देखो
उर्ध्वमुखी रहकर नज़र शीर्ष पर फेंको

---

* **डॉ. सुनील कुमार अग्रवाल** – दो काव्य संकलन 'अंकुर' एवं 'वृक्षमित्र' प्रकाशित --- देश की शीर्ष पत्रिकाओं में कविता, गीत, गज़ल, कहानी, लघुकथा, आलेख, आदि रचनाएँ प्रकाशित --- विविध विधाओं पर तीस से अधिक संकलनों में सहयोगी प्रकाशन --- राष्ट्रीय महत्व की साहित्यिक एवं सांस्कृतिक संगोष्ठियों में सहभागिता --- दो दर्जन संस्थाओं द्वारा पुरस्कृत --- अंतरराष्ट्रीय शान्ति प्रबोधक महासंघ का दिया सम्मान तथा हिन्दी सेवी सहस्राब्दि सम्मान विशेष उल्लेखनीय --- संप्रति, एसोसिएट प्रोफेसर, जन्तु विज्ञान विभाग, एस.एम.पी.जी. कॉलेज, चन्दौसी, मुरादाबाद।

संसार में संतोष, सुख, प्रेम, यज्ञता
मिलती है उसे जिसमें भी होती कृतज्ञता।

प्रेम रस से यदि हृदय जरा भरे
परार्थ धर्म प्रेम में मनुज यहाँ मरे
निर्भय रहें सब सर्वदा खुद से भी न डरें
संताप औरों का सदा वह पुण्य से हरें।

कथनी और करनी में भी भेद न रहे
ज्ञान की गंगा यहाँ चहुँ ओर ही बहे
मन्दिर, मस्ज़िद, चर्च, गुरुद्वारा ईश के ही घर
देख आँख खोलकर पाखण्ड को न कर।

अपमान, मान, हर्ष और विषाद से परे
हर दीन-दुखी पर सदा अपनी कृपा करे
भगवान को पूजो यहाँ नित मन में बसाकर
इन्सान को पूजो यहाँ भगवान सा पाकर।

107

कैसे भूल जाते हैं 'इन्सानियत की खुशबू'

– डॉ. उषा यादव*

यूँ तो हम रहते हैं सहज सद्‌भाव के साथ
बाँटते हैं एक दूसरे से सुख-दुःख
और ज़रूरत पड़ने पर
एक दूसरे से मांग लेते हैं नून-तेल-आटा

लेकिन धूर्त लोगों द्वारा
असभ्य-शब्दों के उछालते ही
आदमीयत से मुकम्मल हम सभी
हो जाते हैं असभ्य
बन जाते हैं आदमखोर

ताक पर रख देते हैं
आपसी सौहार्द-भाईचारा और एकता की मिठास

---

* **डॉ. उषा यादव** – काव्य संकलन कुंवारे सपने प्रकाशित --- गज़ल संग्रह अमराइयाँ और सोजे-निहाँ प्रकाशनाधीन --- सारस्वत साहित्य सम्मान, साहित्य ज्योति सम्मान, काव्य मुधरिमा सम्मान, श्रेष्ठ साधना सम्मान, अक्षर श्री सम्मान, महादेवी वर्मा सम्मान और साहित्य श्री सम्मान से विभूषित --- म.प्र. डी.डी. के 'सुबह सबेरे' कार्यक्रम में 'अमराइयाँ' व 'सोजे-निहाँ' पर चर्चा।

जाने कैसे भूल जाते हैं
अन्तस में विराजमान 'इन्सानियत की खुशबू'।

बन जाते हैं खूंखार चौपाया
अपने ही नर्म हाथों से
करते हैं कत्ल कोमल मनुष्यता की
हरी-भरी धरती को
तब्दील कर देते हैं मक़्तल में
बदहवासी में भूल जाते हैं
गीता... कुरआन...
बाइबिल और गुरुग्रन्थ साहिब के पन्ने...
आओ, मिलकर सोचें
ज़ख्मों का बोझ अपने शानों पर
ढ़ो रही है ये भी सदी काहे?

108

धर्म-मज़हब के भुला कर भेद

– कृष्ण कुमार*

एक हैं हम, एक ही होकर रहें
एक होने में हमारी शान भी!

हम नहीं मुस्लिम, ईसाई, सिक्ख, हिन्दू
मैं भी हिन्दुस्तानी, हिन्दुस्तान का तू!
धर्म-मज़हब के भुला कर भेद सारे
टिमटिमाएं जिस तरह नभ के सितारे!

सिर्फ़ अंतर है हमारी सोच का
एक है वरना खुदा, भगवान भी!

हम रहें गुंथ कर परस्पर इस तरह
फूल में खुशबू समायी जिस तरह,

---

* **कृष्ण कुमार** – तीन उपन्यास और दो कहानी संग्रह प्रकाशित --- 21 संकलनों में कहानियां, कविताएं एवं गज़लें संकलित --- हिन्दी की लगभग 80 पत्र-पत्रिकाओं में असंख्य रचनाएं (कहानियां, गज़लें, कविताएं एवं व्यंग) प्रकाशित --- उपन्यास 'इतिसिद्धम' पर वर्ष 1988 में, 'प्रेमचंद महेश सम्मान' वाणी प्रकाशन, नई दिल्ली से एवं विभिन्न साहित्यिक-सांस्कृतिक संस्थाओं द्वारा सम्मानित।

और जल में जिस तरह तृप्ति समाहित
प्राण वायु जिस तरह सब में प्रवाहित!

हैं अलग रस्ते, पता तो एक है
हैं परस्पर एक-से इन्सान भी!
अग्नि में है आँच, दीपक में उजाला
हम अलग मोती मगर हैं एक माला!

हम बना रक्खें परस्पर भाई-चारा
द्वेष से हम क्यों करें मश्दुल जल को शरा!
है यही संदेश, मज़हब हो कोई
और सब धर्मों का अन्तिम ज्ञान भी!

109

हिन्दू, मुस्लिम, सिक्ख, पारसी सब हैं बालक तेरे

– राही ओघारिया*

भारतमाता! तेरे चरण में कोटि-कोटि प्रणाम,
इस जग में हो सब से ऊँचा सदा ही तेरा नाम।

रहें अहिंसक, मगर नहीं हम कायरता के पाले,
शान्ति के चाहक हैं लेकिन देश के हैं रखवाले,
हमें छेड़ने वालों का तो होगा बुरा अंजाम।

पले हुए हैं जिस मिट्टी में उजला उसे करेंगे,
जान से ज़्यादा तिरंगे की शान को हम समझेंगे,
परम धर्म है यही हमारा और यही सत्काम।

हिन्दू, मुस्लिम, सिक्ख, पारसी सब हैं बालक तेरे,
यही प्रार्थना, जन्म-जन्म हों यही हमारे डेरे,
राम, रहीम और नानक, ईसा, यहां है सब के धाम

---

* **राही ओघारिया –** एम.ए. (हिन्दी), बी.एड. (हिन्दी-गुजराती) --- गुजराती और हिंदी में अभि वस्युं आंखोमां, तम कहो ते इमणी हमणी, तमने जोइने, एटले तमे, लीली छम पहचान आदि गज़ल और गीत संकलन प्रकाशित।

110

आओ बात करें बस हिन्दुस्तान की

– ज्ञानचन्द 'मर्मज्ञ'*

ना हिन्दू, ना सिख, ना मुसलमान की,
आओ बात करें बस हिन्दुस्तान की।
अपनी मिट्टी से अपनी पहचान की,
आओ बात करें बस हिन्दुस्तान की।।

देख मुखौटों वाले चेहरे,
मानवता गड़ गई शर्म से,
धर्म किसी का कभी भी नहीं,
बड़ा हुआ है राष्ट्रधर्म से,
मातृभूमि की पूजा है भगवान की।
आओ बात करें...

---

* **ज्ञानचन्द 'मर्मज्ञ'** – बी.ई. (इलेक्ट्रानिक्स)--- साहित्य के प्रति बचपन से ही अभिरुचि--- विविध पत्र-पत्रिकाओं में रचनाओं का प्रकाशन एवं स्तंभ लेखन --- आकाशवाणी सारनाथ (वाराणसी), कोटा एवं बंगलुरू से कविताओं एवं गज़लों का प्रसारण --- 'सलाम-नमस्ते' एफ.एम. रेडियो न्यूयार्क से कविताओं का प्रसारण --- 'राजीव गांधी राष्ट्रीय एकता सम्मान', 'लाइफ टाइम अचीवमेंट' सम्मान, 'राष्ट्रीय गौरव रत्न' सम्मान, आदि सम्मानों से विभूषित।

वो जो प्यार के फूल मसलकर,
नफ़रत के कांटे बोते हैं,
इक दिन ऐसा भी आता है,
बैठ अकेले वो रोते हैं,
चलो बचा लें कुछ खुशबू इन्सान की।
आओ बात करें...

गंगा की लहरें गाती हैं,
भाईचारे के गीतों को,
दूर कहीं से कोई पुकारे,
सद्‌भावों के मनमीतों को,
रंग जाओ किरणें नये विहान की।
आओ बात करें...

सूनी आँखें, लाल हैं मंज़र,
मन मैला हाथों में खंजर,
द्वेष-राग फल फूल रहे हैं,
विश्वासों के खेत हैं बंजर,
कितनी कम है कीमत दुर्लभ जान की।
आओ बात करें...

काली रातों को समझना,
शान्ति-प्रेम के दीप जलाना,
ताकत एक, एकता ऐसी,
नामुमकिन है हमें हिलाना,
इतनी भी औकात नहीं तूफान की।
आओ बात करें बस हिन्दुस्तान की।।

111

धर्म, कर्म अपनी जगह, सर्वोत्तम है प्यार

– डॉ. रसूल अहमद 'सागर'*

निर्धन को धनवान ने, समझ सदा हक़ीर,
मुस्कानों ने कब पढ़ी, आँसू की तहरीर।

सींच सके तो प्रेम और, सद्‌भावों से सींच,
आँगन में विद्वेष की, दीवारें मत खींच।

रोक न पाएगा कोई, नाहक़ बहता खून,
बटती रही जो रात-दिन, मज़हब का अफ़यून।

कानूनों से कब मिटे, अन्तर्मन के भेद,
धो देने से कोयला, होता नहीं सफ़ेद।

---

* **डॉ. रसूल अहमद 'सागर'** – समन्वयवादी प्रतिनिधि कवि के रूप में पहचान --- पांच मौलिक तथा दस सम्पादित काव्य कृतियाँ अब तक प्रकाशित --- देश प्रेम, मज़हबी तालमेल, राष्ट्रीय कौमी एकता, साम्प्रदायिक तथा भाषाई सौहार्द हेतु किए गए सृजन पर राष्ट्रीय स्तर का बारह पुरस्कार प्राप्त और देश के चौदह प्रदेशों से आपको एक सौ से अधिक सम्मान प्राप्त --- आपकी रचनाओं पर बुन्देलखंड विश्व विद्यालय, झाँसी, में शोधकार्य (पी.एच.डी.) चल रहा --- भारत-पाकिस्तान पीपुल्स फोरम झाँसी शाखा के सदस्य --- आपकी शायरी में इन्सानियत की सच्ची खुशबू है।

देश एक, एक हैं हम सब

सब धर्मों के ज्ञान से, मिला हमें ये सार,
धर्म, कर्म अपनी जगह, सर्वोत्तम है प्यार।

जब से राम-रहीम की, छूटी दुआ-सलाम
प्रश्न चिन्ह ढ़ाड़े भये, यकजहती के नाम
हज़ जाए जो भेद की, दिल में लगी फ़फूँद
आबे-ज़म-ज़म सी लगे, गंगा जल की बूँद।

112

इक डाल के पंछी हम

– **मनोज अबोध***

अलगाव की बातों को तुम दिल से भुलाओ तो
नफ़रत के मुखौटे को चेहरे से हटाओ तो
ईद की खुशी देगी, होली भी दशहरा भी
जरा प्यार से हमको भी सीने से लगाओ तो।

इक डाल के पंछी हम, इक पीर हमारी है
इस माटी की अज़मत हमें जान से प्यारी है
वो बात जरा-सी है, तुम दिल से भुला भी दो
मंदिर भी हमारा है, मस्ज़िद भी हमारी है।

---

* **मनोज अबोध** – बी.एससी., एम.ए., पत्रकारिता स्नातकोत्तर, आयुर्वेद रत्न --- गीत, गज़ल, दोहा, मुक्तक, कविता, कहानी, लघुकथा आदि लेखन विधाओं में रचनाएँ --- 'गुलमुहर की छांव में', सप्तपदी-4, 'समकालीन दोहे', 'समय की शिला पर', 'हिंदी गज़ल यात्रा-2', 'गज़लपुर', 'गज़ल दुष्यंत के बाद-1', 'हिंदी गज़लें', नीलाम्बर, हिंदी की श्रेष्ठ गज़लें, 'गज़ल एकादशी' आदि संग्रहों में गज़लें और गीत प्रकाशित --- दुष्यंत अवार्ड-2003, 'सबरंग साहित्य सम्मान-2000', 'निश्तर खनकाही अवार्ड-2001, 'आचार्य पं. महावीर प्रसाद द्विवेद्वी सम्मान-1997', 'कविकोकिल सम्मान-1999' आदि अनेक सम्मान प्राप्त --- संप्रति, संयुक्त संपादक 'मन्थन फीचर्स' और 'शोधदिशा' तथा संपादक 'शांति', नई दिल्ली।

देश एक, एक हैं हम सब

आओ कि मुहब्बत का संदेश सुनाएंगे
राणा औ शिवाजी का हम वेश बनाएंगे
सब छोटे बड़े जिसमें गौरव से जीवित हों
'बापू' के सपनों का हम देश बनाएंगे

ऐसी बातों से क्या मिलेगा तुम्हें ?
खुराफातों से क्या मिलेगा तुम्हें?
देश के चैन-औ-अमन की सोचो
फसादातों से क्या मिलेगा तुम्हें?

गुल को चूमो चमन की बात करो
झगड़े छोड़ो अमन की बात करो
पड़ोसी मुल्क के तरफ़दारों !
कुछ तो अपने वतन की बात करो।

अब न धर्मों से यूं छला जाए
राष्ट्रभक्ति में भी ढ़ला जाए
जिसको हिन्दोस्तां से प्यार नहीं
वो इसे छोड़कर चला जाए।

113

सद्भाव रहें, सुविचार रहें

– पी.एस. शाक्य*

यह मानवता का रखवाला, हर मानव से जोड़े बन्धन।
है दया क्षमा का मूल धर्म, नित सत्य प्रेम का अभिनन्दन।।
सहिष्णुता, प्रज्ञा, शील भरे, सद्भाव, त्याग का है वन्दन।
समता ममता का सागर यह, नित दूर करे मन का क्रन्दन।।

संयम उदारता, नैतिकता, सौहार्द, लिए करता पालन।
शुभ संस्कार उत्पन्न करे, सुचि, नित करता, मानव का मन।।
हिंसा से सबको दूर रखे, यह कर्मयोग सिखलाता है।
विद्वानों की शुभ वाणी से, मन का विषाद मिट जाता है।।

शोषण न करे कोई जग में, जीवन का रूप सभी जानें।
परमार्थ सभी का ध्येय बने, सच की परिभाषा पहचानें।।
''अतिथि देवो भव'' भाव बने, अहिंसा का मूल मंत्र मानें।
मानवता मानव धर्म बने, वसुधा कुटुम्ब का व्रत ठानें।।

---

* **पी.एस. शाक्य** – पी.जी.डी. (मानवाधिकार) --- 'सरस्वती रत्न' से सम्मानित --- आज की आवाज़, आशा की किरणें, शाक्यमुनि गौतम बुद्ध दोहावली, धर्म मानव और मानवाधिकार और ऊँ साई राम भजनावली प्रकाशित तथा वरिष्ठ नागरिक और युवा वर्ग के लेखक।

देश एक, एक हैं हम सब

उत्थान सभी का है जग में, दूषित ना हो यह घटा गगन।
सद्भाव रहें, सुविचार रहें, संस्कार रहें हो प्रेम अमन।।
शिक्षित, ज्ञानी, विद्वान बनें, हो पूर्ण तभी मानव जीवन।
जब दूर विकार रहें मन से, उजला हो सबका मन दरपन।।

सब धर्म रूप जब पहचाने, मानव जीवन रंग लाएगा।
मानवता का पावन बन्धन, नैतिकता से बंध जाएगा।।
घर-घर होगा मधुरिम बसन्त, यह जग उपवन बन जाएगा।
पुष्पित मन मह संकल्प लिए, शुभ संस्कार मन भाएगा।।

सच मानो फिर मानव जीवन, अपनी मंजिल को पाएगा।
जब ज्ञान सूर्य हर मानव बन, अपनी प्रतिभा दिखलाएगा।।
तम सोमा ज्योर्तिगमय फिर, मृत्योरमामृतम् पाएगा।
यह प्रेम शाक्य निज जीवन में, साहित्य तभी लिख पाएगा।।

114

बोलो मानवता की बोली, करें सबकी रखवाली

– विश्वनाथ मौर्य अकेला*

राष्ट्र प्रेम की भाषा बोलो, बोलो शीतल बोली।
धर्म नहीं, जाति नहीं, बोलो मानवता की बोली।।

समरसता, सद्भाव बढ़ेगा, मन्दिर और गुरुद्वारों में,
मस्ज़िद में ना बैर बढ़ेगा, मिलेगी शान्ति गिरिजाघरों में,

लहू रंग जब एक हो सबका, फिर क्यों करो ठिठोली?
धर्म नहीं, जाति नहीं, बोलो, मानवता की बोली।।

विविधता में एकता दिखायें, यह भारत की भूमि,
देव भूमि जल अमृत है, यह साधु-सन्तों की भूमि,

घृणा, द्वेष, विध्वंस मिटेगा, सुनो सन्तों की बोली।
धर्म नहीं, जाति नहीं, बोलो, मानवता की बोली।।

---

* **विश्वनाथ मौर्य अकेला** – लगभग 300 कविताओं का कविता संग्रह, 30 कहानियाँ और 10 लघु नाटिकाएँ प्रकाशित ---'पराजय जिन्दगी' कहानी के लिए हिंदी अकादमी द्वारा पुरस्कृत, 'सरस्वती रत्न' तथा काव्य, कला, लेखन के क्षेत्र में कई संस्थाओं द्वारा सम्मानित --- संप्रति, समाज सेवा, लेखन, सत्संग, जनहित, आदि में विशेष रुचि।

देश एक, एक हैं हम सब

दया-भाव हो हर प्राणी में, दयानीति अपनाये,
अहिंसा के तुम बनो पुजारी, हिंसा ना अपनाये,

होगा, सारे जग का भला, ना मारो किसी को गोली।
धर्म नहीं, जाति नहीं, बोलो मानवता की बोली।।

भय, भूख से मुक्त मानव होगा, स्वतः विकास हो जाएगा,
एक खाये, एक भूखा सोवे इससे विनाश बढ़ जायेगा,

सबको मिले समान सेवा, ना फैलाये कोई झोली।
धर्म नहीं जाति नहीं, बोलो मानवता की बोली।।

अमन-चमन जब यहां रहेगा, ना होगा कोई लड़ने वाला,
स्वर्णिम देश कहलायेगा, स्वाभिमान पर मरने वाला,

हर मानव को सम्मान मिलेगा, ईद हो चाहे होली।
धर्म नहीं, जाति नहीं, बोलो मानवता की बोली।।

नर-नारी-नारायण सेवा, बच्चे सब फुलवारी,
सींचो प्यार के पानी से, सूखे ना कोई क्यारी,

ईश पावन धरती पर 'अकेला' करें सबकी रखवाली।
धर्म नहीं, जाति नहीं, बोलो मानवता की बोली।।

115

मानवता अपनायें

– **गंगाराम अग्रवाल 'उज्ज्वल'***

देश में आग लगी है इसे आओ बुझायें,
हिंदू मुस्लिम सिख ईसाई मानवता अपनायें।

तोड़ डालें सभी जातपात के बन्धन,
सभी प्रेम से करें भारत मां का बन्दन।

हम सब एक हैं ऐसा कर दिखलायें,
भारत वर्ष की प्रतिष्ठा पर दाग न कोई लगायें।

भारत की माटी ने सबको बहुत कुछ दिया है,
राम कृष्ण मोहम्मद नानक को जन्म दिया है।

देश प्रेम में भ्रष्टाचारियों का कर दे सफाया,
जिनकी गलत नीतियों ने देश को डुबाया।

आओ सभी मिलकर देश धर्म को निभायें,
सत्ता के भूखे सियारों को ढ़ोकर मार भगायें।
इन पुष्ट लुटेरों पर भीषण बज्र गिरायें,

---

* **गंगाराम अग्रवाल 'उज्ज्वल'** – प्रशिक्षित स्नातक, साहित्य रत्न (बी.ए.बी.टी) --- योगमत्ति तरंगिणी, कालयजयी है प्यार तुम्हारा, वीर भोग्याहि वसुन्धरा, प्रीत के गांव में इत्यादि रचनाएँ प्रकाशित।

देश एक, एक हैं हम सब

जिन्होंने देश की माटी को कर दिया बदनाम,
जनहित को ताक में रख करते ऐश आराम।

आओ देश की एकता का जाग्रत अभियान चलायें,
'उज्ज्वल' भारत प्रतिष्ठा को उच्च शिखर पहुंचायें।

116

जब सबके आधार में ईश, फिर काहे का विवाद

– विजय गुप्त*

इस जगत का जो नियन्ता
ईश है उसका नाम,
जिसने ईश्वर को पहचाना
उसको नित करें प्रणाम

पूर्वांचल धरा भारत की
ईश का गुणगान हुआ
ईश्वर भक्ति साधना से
मानवता का कल्याण हुआ!

---

* **विजय गुप्त –** कवि, नाटककार, चित्रकार एवं शिक्षाविद् --- सूखी डाली सूखे फूल (उपन्यास), शाख मत चटकाओ (नाटक), ज्योतिपुंज महर्षि दयानंद (नाटक), बालगीत, स्वर और संस्कार (दो खंड), पंखुडियाँ, अनुगूँज, अन्तर्मन (काव्य संकलन), खोया हुआ कश्मीर, एक फूल प्यार का एवं अन्य रचनाएँ प्रकाशित --- आडियो कैसेट 'कलियों की मुस्कान' का निर्माता --- अनेक गीत एवं नाटक मंचित और रेडियो द्वारा प्रसारित --- परिवार कल्याण एवं स्वास्थ्य मंत्रालय द्वारा, 'हर सपना हो साकार' गीत पर सर्वश्रेष्ठ पुरस्कार और साहित्य सम्मान से सम्मानित।

येरुशलम की पावन भूमि में
युग पुरुष ने ईश को जाना
सबने उस महापुरुष को
सर्वत्र ईसा-ईसा माना!

ईश को जाना जिस ईसा ने
करता रहा भलाई
उसके प्रकाश को माथा टेककर
अनुयायी बने ईसाई

मक्का में ईश का सुंदर पैगाम
पैगम्बर ने सबसे करवाया, ईश को लाभ
धीरे-धीरे वो पथ
कहलाने लगा इस्लाम!

ए मानव तू समझ ले
वो ईश है अन्तिम धाम
जब सबसे आधार में ईश
फिर काहे का विवाद

ईमान, धर्म, मज़हब के नाम पर
क्यों होते हैं फ़साद!
एक मानव तू अपने भीतर
परम सत्य को जान

हर एक के आंसू पोंछ ले
यही है धर्म-मज़हब-ईमान!

117

सभी नाम हैं सृजक एक के

– यशराम सिंह अडिग कुशवाह*

द्वीपों, देशों, भाषा, भोजन, मौसम, वातावरण, मान्यता
शिक्षा, सोच, विचार, मानसिक, चिंतन रहा जहां पर जैसा
वर्ष हजारों से विद्वज्जन होते रहे वहां पर पैदा
विश्व-नियन्ता को चिन्तन में जैसा सोचा समझ पाया

जन-समाज को तदनुरूप ही सदाचार का पाठ पढ़ाया
आवाहन पूजन स्तुति का दैनिक नियम करम सिखलाया
इसी हेतु से धार्मिकता में पृथक पृथक जगभ्रात मान्यता
हिंदू, मुस्लिम, सिक्ख, इसाई, बौद्ध, पारसी, जाति बद्धता

सबके मत से केवल इक ही सृष्टि-सृजक अरुपालक सबका
वर्ग-मान्यता के कारण ही बहु नामों से बोधित होता

* **यशराम सिंह अडिग कुशवाह** – अंग्रेजी इंटर, संस्कृत व्याकरण प्रथमा, हिन्दी विशेष योग्यता --- बाल्य काल से देशोन्नति की कविता लिखते --- विभिन्न काव्य संकलनों में कविताओं का प्रकाशन और काव्य संकलन 'मन मानस के विमल कमल' भाग-1 तथा भाग-2, 2008 तथा 2009 में प्रकाशित --- 1987 से जनवरी 1998 तक हिन्दी पत्रिका 'कछवाहा-कुशवाहा' का प्रधान संपादक --- संप्रति, अवकाश प्राप्त (भारत सरकार)।

देश एक, एक हैं हम सब

मति–भ्रम है फैला सब जग में जन साधारण समझ न पाता
सभी नाम हैं सृजक एक के जिससे सभी जोड़ते नाता

हत्या, लूट, बलात्कार को कोई धरम नहीं शुभ कहता
स्वार्थ, द्वेष, हिंसा, शोषण की कोई धरम न अनुमति देता
धार्मिक ग्रंथों में सब ही के होती है प्रिय व्यापक निंदा
सुख समृद्धि हिते जगत तल दी जाती त्यागन की शिक्षा।

किसी धर्म का हो अनुयायी या हो किसी देश में रहता
मानवता का नाता जग के हर मानव से जोड़े रखता
हानि, लाभ, विपदा, वैभव में सहभागी जग हर जन होता
नारा बसुधैव कुटुम्ब का सत्य सिद्ध वह करता रहता।

आज उचित मानव–विकास को त्याग–भाग कर प्रिय अपनाना
दुखी उपेक्षित जग जो मानव उनको दुख से त्राण दिलाना
यदा जगत में हर सुख–दुख में हम सबका सहयोग बढ़ेगा
भ्रातृत्व भाव बढ़ता मानव मन 'अडिग' मनोबल देगा।

118

हर जाति हर धर्म ने भारत की मिलकर शान बढ़ाई

– आचार्य लक्ष्मण सिंह 'स्वतंत्र'*

हम सबके हैं सब हमारे यही एक सच्चाई।
देश एक जिससे बंधी हुई है यहां कई इकाई।।

हर जाति हर धर्म ने भारत की मिलकर शान बढ़ाई।
हिन्दू, मुस्लिम, सिक्ख, ईसाई सदैव रहे हैं बनकर भाई।।

सुख-दुःख, शुभ-अशुभ पर सभी मिलकर करते हैं सहयोग।
यही भारत का स्वाभिमान यही भारतीयों की रही पहचान।।

धर्म-कर्म सेवा संस्कार मिलकर ही करते हैं मानव का उद्धार।
उद्धार हुआ मिलकर मानव का और मानव बना महान।।

यही है स्वतंत्र राष्ट्र भारत की शान।

---

* **आचार्य लक्ष्मण सिंह 'स्वतंत्र'** – स्नातक --- व्यवसाय ज्योतिष, पत्रकारिता --- प्रमुख पुस्तक कैसे जीये, शून्य से शिखर, यह कैसी दुनिया, दुनिया के बाद सम्मान --- ज्योतिष श्रेष्ठ, वास्तु शिणोमणी, साहित्य सम्राट आदि।

119

आओ हम सब मिलजुल गाएं वंदेमातम्

– प्रो. डॉ. जयजयराम आनंद*

दिशा-दिशा में गूंज रहा है भारत देश महान,
आओ हम सब मिलजुल गाएं वंदेमातरम्।

हिन्दू-मुस्लिम सिख-ईसाई देखो खड़ा पठान है,
मुस्काता हर एक देख लो, सबमें जोश जवान है।

सीमा की रक्षा करने को सीना ताने खड़े हुए,
प्राण निछावर कर देने को प्रतिपल अड़े हुए।

भारतवासी होने का हम सबको अभिमान,
आओ हम सब मिलजुल गाएँ वंदेमारतम्।

भारत माता को हम अपने श्रमसींकर से सीचेंगे,
सुख सपनों की अक्षय निधि से अपना आँगन लीपेंगे।

---

* **प्रो. डॉ. जयजयराम आनंद** – एम.ए. (मनो.) एम.एड. पी.एच. डी. --- सुप्रसिद्ध शिक्षा शास्त्री --- बुनियादी शिक्षा, शैक्षिक अनुसंधान एवं साख्यिकी, जनसंख्या शिक्षा एवं बाल समस्याएं, आदि क्षेत्रों में सराहनीय योगदान --- घर-घर में वसंत, घर के अंदर घर, बोला काग मुंडेर पर (नई कविता), बूंद-बूंद आनंद, अमेरिका में, आनंद हास्य योग आनंद (दोहा संग्रह), धूर भरे आनंद, चांद सितारों में आनंद (बाल-गीत), आदि रचनाएँ प्रकाशित --- देश विदेश की पत्रिकाओं में तथा इंटरनेट पर कविताओं, दोहों, गीतों का प्रकाशन --- राष्ट्रीय पुरस्कार प्राप्त और अनेक साहित्यिक एवं सामाजिक संस्थाओं द्वारा सम्मानित।

देश एक, एक हैं हम सब

दुख दर्दों की आज विदाई मिलकर हम कर देंगे,
समता का साम्राज्य बसाकर नैन चैन की लेंगे।

आगे बढ़ते जाने में है भारत मां की शान,
आओ हम सब मिलजुल गाएं बंदेमातरम्।

खेतों में फसलों की दुल्हिन अंगड़ाई ले इठलाती,
कोयल कूक-कूक मधुवन का प्रतिपल जी बहलाती।

उतर रहा है वैकुंठ धरा पर कर में ले जय माला,
नव निर्माणों की पी डाली खूब नशीली हाला।

चंदा सूरज की किरणें भी गाती हैं गुणगान,
आओ हम सब मिलजुल गाएं वंदेमातरम्।

120

बीज नफ़रत के कभी न बोओ

– **गंगाराम अग्रवाल 'उज्ज्वल'***

कुछ तो कर्म कमाओ कुछ अपनी पहचान बनाओ
जल बूंदों से भरभर गगरी, प्यासे अधरों तक पहुंचाओ
मलयगिरि की सुखद समीरण कालंत हृदय तक ले आओ
ऐसी सुखद हवा चलाओ...

पाप भार कंध मत ढोओ, झूठ की चादर मत फैलाओ
बीज नफ़रत के कभी न बोओ, भेदभाव मत गले लगाओ
जीवन गीत को गेय बनाओ...

प्रीत सुमन से सदन सजा लो, द्वेषभाव के शूल निकालो
जीवन पथ को सुगम बना लो, अंधकार में ज्योति जला लो
जीवन का गतिमान बनाओ...

मन उपवन में सुमन खिले सुख के भंवरे गले मिलें
हो निःस्वार्थ अंर्तमन में, नहीं कपट से हृदय जले
चन्दन बन जीवन महकाओ...

---

* **गंगाराम अग्रवाल 'उज्ज्वल'** – प्रशिक्षित स्नातक, साहित्य रत्न (बी.ए.बी.टी) --- योगमत्ति तरंगिणी, कालयजयी है प्यार तुम्हारा, वीर भोग्याहि वसुन्धरा, प्रीत के गांव में इत्यादि रचनाएँ प्रकाशित।

अपने हृदय का पट खोलो, सदा सत्य की जय बोलो
दिशाहीन हो मत डोलो, मधुर बचन से मन मोह लो
जीवन को 'उज्ज्वलमय' बनाओ...

121

राष्ट्र चेतना... एक लक्ष्य हो एक कदम

– श्रीमती इंदिरा मोहन*

शंख बजा है बलिदानों का
निर्माणों का नव परचम
राष्ट्र चेतना का आह्वान
एक लक्ष्य हो एक कदम

प्रगति चक्र नित घूम रहा
ऊंचाई श्रम चूम रहा
समता की फसलें, रोपें
जन-जन को खुशियां सौंपें

मातृ भूमि के इस मंदिर में
सजे एकता सुंदरतम।

---

* **श्रीमती इंदिरा मोहन** – एम.ए. (समाज शास्त्र) --- साहित्यिक-सांस्कृतिक संस्थानों से जुड़े --- तीन दशकों से गीत की साधना --- प्रतिष्ठित पत्र-पत्रिकाओं एवं ग्रंथों में गीत, निबंध, वार्ता, लेख, आदि का प्रकाशन --- गीत संकलन 'पेड़ छनी, परछाइयां' तथा 'पीछे खड़ी सुहानी मोर' एवं कविता संकलन 'समय स्तब्ध है' तथा 'कहां है कैलाश' प्रकाशित --- आकाशवाणी एवं दूरदर्शन से रचनाओं का प्रसारण --- हिन्दी भवन, दिल्ली हिन्दी साहित्य सम्मेलन, सेवा भारती से संबद्ध और मासिक पत्रिका 'सेवा समर्पण' की संपादक।

अवर की पहचान करें
संकट सिंधु अथाह तरें
काटों के शर हंस सह लें
तारीखें युग की बदलें

सामूहिकता शक्ति हमारी
उलझन मिल सुलझायें हम

आंगन में है नव हलचल
उठे राष्ट्र के युवा सबल
मान मिलें अपमान नहीं
बिका हुआ अनुदान नहीं

कालजयी इतिहास हमारा
गौरव, गरिमा, यश, अनुपम।

गांवों में विश्वास बढ़े
आहुति का उत्साह चढ़े
भेदभाव कुचलें फिर से
मूल्यों की आस्था सरसे

जिसके तन-मन में हो ऊर्जा
विश्व बंधुता क्यों दुर्गम
राष्ट्र चेतना का आह्वान
एक लक्ष्य हो एक कदम।।

122

चमन रक्षा के लिए प्यार लाया

– डॉ. नारायण दास खन्ना 'नरेंद्र'*

जहां बर्बरता ने इन्सानियत का सिर झुकाया है
अंधेरों ने उजालों को जहां बंदी बनाया है
जहां फटते हैं मानव बम, अमन को आग लगती है
जहां लम्हे की चिनगारी ने सदियों को तपाया है
वहां मैं शक्ति, संयम, श्रम, मनोबल ले के आया।

जहां पर गिद्ध, कौवों, चील, वन पशुओं का लंगर है
जहां की हवा में सिहरन, घुटन, ज्वाला, बवंडर है
जहां के नग़्मों में सुर-ताल-लय कुछ भी नहीं मिलते
बरसते हैं जहां विस्फोट, रजकण तक नहीं हिलते
वहां मैं चमन रक्षा के लिए कुछ प्यार लाया।

उषा की लालिमा, अपने उदय के साथ क्षण-क्षण में
जो बिखराता चले आकाश में नभ, प्रकृति प्रांगण में

---

* **डॉ. नारायण दास खन्ना 'नरेंद्र'** – एम.ए. एल.एल.बी, पी.एच.डी. (हिंदी), डी.पी.ए, डिप्लोमा (फ्रेंच एवं रशियन) --- मास्को में रूसी भाषा के उपन्यास, कहानियां, संस्मरण, यात्रा इतिहास, आदि के हिन्दी रूपांतर, हिंदू ला (अंग्रेजी), अनेकानेक लेख, कविताएं, आदि भारतीय पत्रिकाओं एवं समाचार पत्रों में प्रकाशित। --- 55 पुस्तकों के प्रणेता --- हिंदी की 31 पुस्तकें रूस सरकार के विदेशी भाषा प्रकाशनगृह द्वारा और शेष भारत में प्रकाशित --- नेताजी सुभाषचंद्र बोस के सचिव के रूप में स्वतंत्रता संघर्ष में सक्रिय सहभागिता लिया---संप्रति, प्राध्यापन, लखनऊ एवं मास्को विश्वविद्यालय (हिंदी विभाग)।

123

इस धरती के अनन्त रस-क्षण से

– प्रो. रामस्वरूप 'सिन्दूरी'*

मेरा तो सर्वस्व रही है मातृभूमि बचपन से।
मेरा कवि जन्मा, इस धरती के अनन्त रस-क्षण से ।

गंगा रहे तरंगित मेरी रसपायी काया में,
मैं निशि-वासर रहूँ बोधितरु की प्रशान्त छाया में,
रूप सवारूँ मैं कश्मीरी झीलों के दर्पण से।
मेरी कवि जन्मा, इस धरती के अनन्त रस-क्षण से ।

मैंने हिमगिरी-उदित सूर्य-आलोकित मन पाया है,
जब गया है, इस वाणी ने लोकगीत गाया है,
मेरा हर पल अभिमंत्रित है मलयगिरी चन्दन से।
मेरा कवि जन्मा, इस धरती के अनन्त रस-क्षण से ।

---

* **प्रो. रामस्वरूप 'सिन्दूरी'** – स्नातकोत्तर --- डी.ए.वी. (परास्नातक) --- डी.इ.एच.एम. --- काव्यसंग्रह 'हँसते लोचन रोते प्राण', 'आत्म-रति तेरे लिए', 'तिरंगा जिन्दाबाद' प्रकाशित --- उत्तर प्रदेश हिन्दी संस्थान द्वारा 'साहित्य भूषण' से और देश की अनेक प्रतिष्ठित संस्थाओं द्वारा सम्मानित --- आकाशवाणी के ए.आई. आर. रहे --- संप्रति, कालेज, कानपुर, के हिन्दी प्रवक्ता पद से सेवानिवृत्त।

इस तन ढ़ाला है गीतों में लोकमुखी माटी ने,
श्वास-श्वास में सुरभि घोल दी फूलों-की-घाटी ने,
इन प्राणों के तार जुड़े हैं, किसी गंधमादन से।
मेरा कवि जन्मा, इस धरती के अनन्त रस-क्षण से।

मैं निर्झर-लय में जन-गण-मन को गाया करता हूँ,
मुरली के नाद-सा, शून्य में भर जाया करता हूँ,
मैं अनुगूँजित रहूँ, आदि कवि के करुणा-कुन्दन से।
मेरा कवि जन्मा, इस धरती के अनन्त रस-क्षण से।

124

मेरा देश विशाल

– **डॉ. पंडित आनंद मोहन ज्युत्षी***

मेरा देश विशाल साथी मेरा देश विशाल
सुन्दर इसके नर और नारी
सुन्दर इसकी क्यारी-क्यारी
सुन्दर बाल गोपाल
मेरा देश विशाल...

इसमें भक्त और सूफी कितने
खुसरो, सूर, कबीर
वृन्दावन की कुन्ज गलिन हैं
जमुना जी का तीर
घन्टे और घड़ियाल साक्षी
मेरा देश विशाल...

इसमें कितनी भाषायें
मानव जाति की आशायें
हिंदी, उर्दू, बंगला, तामिल

---

* **डॉ. पंडित आनंद मोहन ज्युत्षी** – 'गुलजार' देहलवी --- श्री अल्लामा प्रोफेसर टी.एन. ज्युत्षी 'जार' देहलवी के पुत्र --- पंडित नेहरू की बिरादरी में।

देश एक, एक हैं हम सब

सब इक सागर की धाराएं
अपना दौलत माल साथी
मेरा देश विशाल...

इसमें काली दास और ग़ालिब
इसमें तुलसीदास के तालिब
इसमें मीर और मीरा दोनों
बातें एक और कितने क़ालिब
टैगोर और इकबाल साथी
मेरा देश विशाल...

इसमें ईसा की फुलवारी
इसमें मूसा की सरदारी
इसमें बुद्ध और नानक दोनों
तिरथंकर का माल साथी
मेरा देश विशाल...

पाँव तले हैं सागर इसके
सर ऊपर कैलाश
इसकी धुन में गूँज रहे हैं
धरती और आकाश
अपनी आप मिसाल साथी
मेरा देश विशाल...

125

ईश्वर की पूजा करनी तो इन्सानों से प्यार करो

– डॉ. मायासिंह 'माया'*

ईश्वर का है रूप आदमी, मत इससे इंकार करो
ईश्वर की पूजा करनी तो, इन्सानों से प्यार करो।

सबसे बड़ी कला ईश्वर की, मानव सबसे श्रेष्ठ सृजन
इन्सां के दिल की धड़कन ही, इसका वंदन और भजन।

मानव हित ही, बड़ा धर्म है, इस सच को स्वीकार करो
ईश्वर की पूजा करनी तो, इन्सानों से प्यार करो।

धन, ऐश्वर्य, भवन, पदक्षमता, यह धरती की माया है
माया पति है पुरुष पुरातन, माया जिसकी छाया है।

छाया मंजिल नहीं तुम्हारी, इसे न अंगीकार करो
ईश्वर की पूजा करनी तो, इन्सानों से प्यार करो।

---

* **डॉ. मायासिंह 'माया'** – डॉ. (श्रीमति) मायासिंह 'माया' --- दो पुस्तकों तथा अनेक लेखों की लेखिका --- आकाशवाणी और पत्रिकाओं में आपकी बहुत रचनाएँ प्रकाशित --- कतिपय साहित्यिक संस्थानों से समानित --- संप्रति उत्तर प्रदेश के स्वास्थ्य विभाग में सेवारत

देश एक, एक हैं हम सब

अगर पड़ोसी दुखी तुम्हारा, तो न चैन से तुम सोना
हिम्मत उसे बँधाओ ऐसी, वह भूले अपना रोना।

संतों सा आदर पाओगे, यदि तुम 'पर-उपकार' करो
ईश्वर की पूजा करनी तो, इन्सानों से प्यार करो।